Cactées et Plantes grasses

EDITIONS
TIME
LIFE

LA DEUXIÈME GUERRE MONDIALE
LA GRANDE AVENTURE DE LA MER
CUISINER MIEUX
L'ENCYCLOPÉDIE TIME-LIFE DU JARDINAGE
LE COMPORTEMENT HUMAIN
LES GRANDES CITÉS
MAGIE DES TRAVAUX D'AIGUILLE
LE FAR WEST
LES GRANDES ÉTENDUES SAUVAGES
LES ORIGINES DE L'HOMME
TIME-LIFE LA CUISINE A TRAVERS LE MONDE
TIME-LIFE LE MONDE DES ARTS
LES GRANDES ÉPOQUES DE L'HOMME
LIFE LE MONDE DES SCIENCES
LIFE LE MONDE VIVANT
COLLECTION JEUNESSE

Cactées et Plantes grasses

par
PHILIP PERL

et

les Rédacteurs des Éditions TIME-LIFE

Photographies de
Enrico Ferorelli

TIME-LIFE INTERNATIONAL (NEDERLAND) B.V.

L'ENCYCLOPÉDIE TIME-LIFE DU JARDINAGE

COMITÉ DE RÉDACTION POUR CACTÉES ET PLANTES GRASSES :
RÉDACTEUR EN CHEF : Robert M. Jones
Rédacteur adjoint : Sarah Bennett Brash
Révision du texte : Margaret Fogarty, Bob Menaker
Iconographie : Neil Kagan
Maquette : Albert Sherman
assisté de : Edwina C. Smith
Rédaction : Dalton Delan, Susan Perry,
Reiko Uyeshima
Documentalistes : Diane Bohrer, Marilyn Murphy,
Heather Mason Sandifer, Betty Hugues Weatherley
Secrétariat : Maria Zacharias

ÉDITION EUROPÉENNE

RÉDACTEUR EN CHEF : Kit van Tulleken
Directeur artistique : Louis Klein
Directeur de la photographie : Pamela Marke
Chef documentaliste : Vanessa Kramer
Directeur du texte : Simon Rigge
Maquette : Graham Davis
assisté de : Martin Gregory
Secrétariat de rédaction : Christopher Farman
Révision du texte : Ilse Gray
assistée de : Kathy Eason
Documentalistes : Jasmine Taylor, Sheila Grant

Chargés de la réalisation de l'ouvrage
Coordination : Ellen Brush
Responsable de la qualité : Don Fragale
Circulation : Pat Boag, Joanne Holland
Département artistique : Julia West
Secrétariat : Katherine L. Knight

Secrétariat de rédaction pour l'édition française :
Michèle Le Baube

Traduit de l'anglais par Fred Anastay

L'AUTEUR : Le regretté **Philip Perl** est également l'auteur de *Fougères ornementales*, un autre ouvrage de la collection L'ENCYCLOPÉDIE TIME-LIFE DU JARDINAGE. Il a fait partie de l'équipe de rédaction du magazine *The New Yorker* pendant vingt ans ; il a également été décorateur paysagiste et s'est intéressé à la création de jardins. Monsieur Perl s'est beaucoup consacré à la culture des plantes grasses.

CONSEILLER, ÉDITION EUROPÉENNE : **Frances Perry** fait autorité en matière de jardinage ; ses livres et ses causeries radiophoniques lui ont valu une réputation internationale. Elle est membre de la société Linné, et fut la première femme élue au Conseil de la Société d'Horticulture de Grande-Bretagne ; elle a reçu la décoration tant convoitée que représente la Victoria Medal of Honour. Elle a donné des conférences en Australie, en Nouvelle-Zélande et en Amérique.

CONSEILLERS GÉNÉRAUX POUR L'EUROPE : **Roy Hay** est un spécialiste de l'horticulture, connu pour ses articles dans les publications de langue anglaise, et en particulier pour sa colonne hebdomadaire du *Times,* ainsi que pour sa participation mensuelle à *l'Ami des Jardins,* une publication française. Il continue une tradition familiale dans le domaine du jardinage ; Thomas Hay, son père, fut surintendant dans bon nombre de parcs royaux à Londres (1922-1940). M. Hay lui-même est officier de l'Ordre du Mérite agricole de Belgique et de France. **André Leroy,** conseiller de rédaction pour l'édition française, est ingénieur en chef honoraire des parcs et jardins de Paris. Il a conduit les travaux de restauration du parc de Sceaux, du parc de Bagatelle et de la Roseraie de L'Haÿ-les-Roses. Depuis 1958, il est conseiller technique pour la revue *Mon Jardin et ma Maison.* **Dieneke van Raalte** a étudié l'horticulture et l'art du jardinage au Collège de Jardinage de Fredriksoord aux Pays-Bas. Fervente collaboratrice des revues européennes de jardinage, elle est l'auteur de nombreux ouvrages néerlandais sur le jardinage. **Hans-Dieter Ihlenfeldt** est professeur de botanique à l'Institut de Botanique Générale et de Jardinage d'Hambourg. Co-éditeur de nombreux manuels de botanique, il a publié de nombreux écrits ou articles dans des journaux scientifiques. **Hans-Helmut Poppendieck** est conservateur au jardin botanique de Hambourg et donne des conférences à l'Institut de Botanique de cette même ville. Il est l'auteur de nombreux articles sur la taxonomie des plantes, la flore tropicale et les plantes grasses de l'Afrique du Sud.

CONSEILLERS GÉNÉRAUX : James Underwood Crockett, auteur de nombreux volumes de la collection L'ENCYCLOPÉDIE TIME-LIFE DU JARDINAGE, est licencié de l'École d'Agriculture de Stockbrudge de l'université du Massachusetts. Il a vécu en Californie, à New York, au Texas et en Nouvelle-Angleterre, où il a cultivé une grande variété de plantes. Il fut conseiller auprès de nombreux pépiniéristes. Le Dr Gerald Barad de Flemington, New Jersey, et l'un des fondateurs et le premier président de la New York Cactus and Succulent Society. Le Dr Bruce W. McAlpin est spécialisé dans la culture des plantes tropicales et des fougères au New York Botanical Garden. Le Dr Donald J. Pinkava est professeur de botanique au Département de Botanique et de Microbiologie de l'université d'Arizona, à Tempe. Le Père Peter Weigand est botaniste à la St. Anselm's Abbey School, Washington, D.C.

COUVERTURE : Un *Trichocereus shaferi* de huit ans dresse en formation serrée ses rameaux charnus hérissés de piquants. Cette petite plante — une trentaine de centimètres de haut — est l'une des nombreuses cactées résistantes que l'on peut cultiver à l'intérieur comme à l'extérieur et qui supportent des températures allant de moins de zéro à plus de 37° C.

LES CORRESPONDANTS À L'ÉTRANGER : Elizabeth Kraemer (Bonn) ; Margot Hapgood, Dorothy Bacon (Londres) ; Susan Jonas, Lucy T. Voulgaris (New York) ; Maria Vincenza Aloisi, Joséphine du Brusle (Paris) ; Ann Natanson (Rome).

TABLE DES MATIÈRES

Plantes étranges faites pour survivre 1

Si les herboristes se mettaient en tête de produire des plantes parfaitement adaptées au mode de vie du XXe siècle, ils ne pourraient faire mieux que ce qu'a réalisé la nature en quelques millions d'années avec les cactées et leurs compagnes, les plantes grasses. Il est certainement exagéré de dire que, plus elles sont négligées, plus elles prospèrent; cependant, il est exact qu'elles demandent beaucoup moins de soins que la plupart des autres plantes — caractéristique précieuse dans un monde frénétique où on peut bien rarement consacrer autant de temps qu'on le souhaiterait au jardinage.

Fait plus intéressant encore, elles sont au nombre des rares plantes capables de se développer dans les intérieurs actuels surchauffés dont beaucoup sont de véritables déserts — du moins pour la sécheresse. Ce qui ne veut pas dire que les zones arides soient le lieu d'élection de toutes les cactées, encore que ce soit là qu'on trouve la plus grande variété de tailles et de formes; en fait, certaines se plaisent dans les arbres des forêts tropicales, d'autres sur les plages — et il en est qui supportent même les gelées. Parmi les plantes grasses, au moins deux, *Rhodiola rosea* et *Montia lamprosperma*, survivent au nord du cercle arctique. Et, si les cactées sont fort peu répandues à l'état naturel dans les régions les plus froides d'Europe, de nombreuses espèces peuvent y être cultivées quand on leur assure un bon drainage, car c'est souvent la conjonction de l'humidité et du froid qui leur est néfaste.

Les cactées et les plantes grasses peuvent prospérer dans des milieux très divers parce que leurs piquants et leur peau épaisse leur permettent de bien résister aux insectes nuisibles et aux prédateurs, et qu'elles peuvent stocker de grandes quantités d'eau pendant de longues périodes dans leurs tiges, leurs feuilles ou leurs racines. La plupart des membres de la famille des cactées sont des plantes grasses, mais l'inverse n'est pas vrai. Ces plantes grasses, que l'on appelait parfois succulentes (en latin *succulentus*, de *succus*, suc), caractérisées par leur aptitude à conserver l'humidité, appartiennent à diverses familles botaniques. L'agave, par exemple, est membre de la famille des amaryllidacées, et l'aloès, plante médicinale très appréciée pour le

Cet Opuntia bigelowii *épineux, qui peut atteindre 2,50 mètres de haut, paraît minuscule à côté d'un Arbre-à-pied-d'éléphant* (Nolina recurvata) *qui, lui, s'élève jusqu'à 9 mètres.*

traitement des brûlures, appartient, lui, à la famille des liliacées.

Autre plante grasse, l'euphorbe ressemble au cactus *Cereus* par la couleur, la taille et la forme ; mais un examen attentif révèle une importante différence ; les aiguillons du Cereus naissent des aréoles, points végétatifs qui dessinent un motif régulier sur la plante. Les fleurs et les jeunes pousses apparaissent également sur ces aréoles qui servent à identifier les espèces de cactées. Les épines des euphorbes et des autres plantes grasses ne sont pas produites par les aréoles mais poussent directement sur le corps de la plante.

En règle générale, toutefois, il est difficile de confondre les feuilles charnues, souvent floconneuses et parées de couleurs éblouissantes, de la plupart des plantes grasses, avec les tiges gonflées, rigides et anguleuses des cactées recouvertes de piquants et dont la beauté offre le paradoxe d'être à la fois sévère et éclatante. Leurs fleurs sont, en effet, plus exubérantes que celles de nombreuses autres familles de plantes (celles de l'orchidée-cactus *Hylocereus undatus* « Honolulu Queen » ont chacune plus de huit cents étamines), et leur splendeur ressort d'autant mieux qu'elles s'épanouissent sur un fond particulièrement austère, comme la plupart des orchidées. (Dans le cas de ces dernières, c'est généralement pour leurs seules fleurs qu'on les cultive, alors que, chez les cactées, elles ne sont qu'un attrait supplémentaire.)

UNE BEAUTÉ SAISISSANTE Les fleurs d'un groupe de cactées tropicales, les cierges à floraison nocturne, appellation recouvrant une trentaine de genres, sont réputées pour leur taille. Celles de *Selenicereus grandiflorus*, par exemple, ont jusqu'à 30 centimètres de long et 20 de large. Cependant, en dépit de leur taille, les fleurs des cactées ont une existence éphémère (une seule nuit, resplendissante il est vrai, pour *Selenicereus grandiflorus*), et un parfum d'une intensité parfois difficilement supportable (le même *S. grandiflorus* répand durant son bref règne une odeur de vanille tout à fait extraordinaire).

Toutes les fleurs des cactées n'ont pas la vie aussi brève ; la plupart tiennent une bonne semaine, et certaines beaucoup plus longtemps encore. *Chamaecereus silvestrii*, par exemple, dont les tiges de 2 à 3 centimètres de long semblent s'appuyer les unes sur les autres dans les plantes en pot, produit au printemps des fleurs rouge vif qui restent épanouies parfois pendant tout un mois.

Leur beauté et la facilité avec laquelle elles se prêtent à la culture suffiraient à justifier la vogue des cactées ; mais elles possèdent en outre une autre remarquable qualité : leur étonnante faculté à s'adapter à des conditions qui, il y a longtemps, faillirent provoquer leur extinction. Pensez au problème qu'elles ont dû affronter il y a quelque 40 millions d'années : à cette époque lointaine, les déserts tels que nous les connaissons aujourd'hui venaient de naître à la suite de plissements géologiques et de changements radicaux de la direction des vents dominants. Les montagnes formées par les plis de l'écorce terrestre arrêtèrent les nuages chargés de pluie et transformèrent en zones arides

des régions entières autrefois abondamment arrosées. Prisonniers de ce nouvel environnement profondément bouleversé, les ancêtres des cactées s'y adaptèrent en changeant leurs feuilles en aiguillons. Ces derniers, de surface plus faible, perdaient moins d'humidité par évaporation. Puis ces plantes modifièrent progressivement leur façon de se mouvoir en agrandissant leurs tiges de manière à pouvoir y emmagasiner de grandes quantités d'eau. Bien que les cactées aient effectué cette évolution à une époque relativement récente, elles sont allées plus loin qu'aucune autre plante connue dans l'adaptation à un environnement rude et pauvre en éléments nutritifs.

On peut se faire une petite idée de l'apparence qu'avaient les cactées avant d'acquérir leur forme actuelle par l'étude des *Pereskia*, l'un des trois genres (les *Opuntia* et les *Cereus* sont les deux autres) qui composent la famille des cactées, un peu comme les Latins, les Étrusques et les Sabins constituaient la famille des anciens Romains. Le Pereskia, plante caractéristique de ce groupe, porte des feuilles mais, à côté de celles-ci, on trouve des groupes d'épines. Les Pereskias, comme de nombreuses autres plantes, existent sous la forme d'espèces à feuillage persistant et caduque. On les utilise surtout comme porte-greffes (car elles sont très vigoureuses) de diverses cactées comme les hybrides de *Schlumbergera bridgesii* et de *Rhipsalidopsis gaertneri*. Dans les régions subtropicales, on en fait souvent des arbustes de jardin et des bordures.

Pereskia aculeata a des fruits très appréciés dans toutes les Antilles. Dans les régions tempérées, il fait une jolie plante de panier suspendu. Avec ses feuilles luisantes de teinte rouge, il ressemble un peu à *Cissus rhombifolia*, plante à peu près indestructible et appréciée en conséquence. Il lui faut un compost humide, excepté pendant l'hiver, et il ne révèle son appartenance aux cactées que lorsqu'un doigt imprudent frôle le dessous de ses feuilles et entre en contact avec ses piquants parfaitement dissimulés. Mettez-lui une fois par mois un engrais à haute teneur en acide phosphorique (ce qui est indiqué par un deuxième chiffre élevé dans la formule à trois chiffres utilisée pour indiquer les composants de la plupart des fertilisants pour plantes — 15-30-15, par exemple). Ce traitement augmentera vos chances de voir votre *Pereskia aculeata* produire de grandes fleurs à odeur de citron, et peut-être même des fruits. Le Pereskia ridé (ainsi nommé parce que ses feuilles sont plissées) donne des fleurs rouge vif, et exige lui aussi des matières nutritives riches en acide phosphorique. Les fleurs de tous les Pereskias ont un pédoncule, contrairement à celles des autres cactées qui sont attachées directement à la plante. *Pereskia saccharrosa* a de grandes fleurs violettes qui paraissent flotter sur une mer de minuscules feuilles brillantes, et ressemble plus à un rhododendron qu'à un cactus.

La plupart des cactées cultivées à l'intérieur appartiennent au genre *Opuntia*, ou oponces, dont les membres sont les mieux protégés contre les agressions. Leurs aréoles contiennent, en effet, des glochides, minuscules aiguillons barbelés qui s'enfoncent dans la peau et provo-

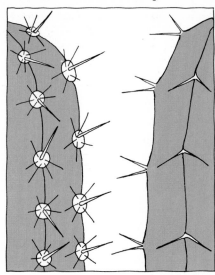

Toutes les cactées sont des plantes grasses, mais l'inverse n'est pas vrai. Ce qui caractérise une cactée, ce n'est pas l'absence de feuilles, la tige gonflée ou même les épines, mais une petite protubérance en forme de coussin appelée aréole (à gauche), d'où partent épines, poils, branches, feuilles et fleurs. D'autres plantes grasses comme l'euphorbe de droite peuvent ressembler pour le reste à des cactées, mais l'absence d'aréoles interdit de les rattacher à cette famille.

quent une sensation douloureuse longtemps après qu'on les a enlevés, non sans quelque difficulté d'ailleurs *(page 39)*. Il est prudent de conserver à portée de main des pinces à épiler quand on s'occupe de cactées — en particulier des oponces, appelées aussi raquettes en raison de leur forme —, et de nombreux jardiniers enfilent en plus des gants de cuir. Même *Opuntia microdasys*, dont les deux, trois au quatre rameaux allongés en forme d'oreilles de lapin qui la surmontent ont l'air parfaitement inoffensifs, peut infliger de cuisantes piqûres. Mais les glochides et les aréoles forment un si joli motif marron doré sur le fond vert pâle des « oreilles » qu'on peut bien courir le risque de se piquer un peu le bout des doigts en les manipulant.

DES NIDS BIEN DÉFENDUS Il existe d'ailleurs des oiseaux, et en particulier les colombes voyageuses d'Amérique et certains roitelets, qui ne redoutent nullement les aiguillons des cactées et qui établissent leurs nids notamment dans les Cylindropontias, forme arborescente d'oponce qui atteignent souvent de 10 à 50 mètres de haut dans leur habitat du Sud-Ouest de l'Amérique du Nord ; ils y sont parfaitement protégés des prédateurs, à la fois par les piquants de la plante et par leur position élevée.

Les trois quarts environ des deux mille espèces connues de cactées appartiennent au troisième genre, celui des *Cereus*, ou cierges, appelés aussi maintenant Cactus. Heureusement pour les amateurs, si certains membres de ce groupe ont des épines, aucun ne possède de glochides. Leurs fleurs, à l'inverse de celles des oponces qui sont plates, ont généralement la forme d'un entonnoir. Les cierges présentent entre eux plus de différences que les membres des autres genres de cactées. Environ un cinquième sont épiphytes, c'est-à-dire qu'ils poussent sur d'autres plantes sans cependant en tirer leur nourriture ; parmi ceux-ci

(suite page 16)

Une beauté née de l'adversité

Il y a plus de formes étranges parmi les plantes grasses que dans tout autre groupe. Certaines, tel le peu commun Arrojadoa rhodantha (page 15), sont conformes à l'idée qu'on se fait des cactées — avec leurs tiges épineuses vertes dressées vers le ciel. D'autres, comme le Lithops karasmontana *var.* summitata *(page 12), ressemblent plus à des pierres qu'à des plantes, d'où le nom de Plantes cailloux que l'on donne aux nombreuses espèces de* Lithops. *Ces deux formes sont l'aboutissement de millions d'années de sélection naturelle : l'Arrojadoa a perdu ses feuilles et pris une forme de colonne pour emmagasiner l'humidité précieuse dans un milieu aride ; le* Lithops, *lui, s'enterrait.*

Mais, quelle que soit l'origine de leurs formes actuelles, les étranges plantes grasses représentées ci-contre et celles qui figurent aux pages suivantes ont en commun une beauté irréelle que l'on attribuerait à la main de quelque artiste un peu fantasque plûtôt qu'à la nature.

Haworthia truncata, *plante grasse aux extrémités translucides (en haut) et* Leptocladodia elongata, *cactus à crêtes serrées, sont des plantes à croissance lente, accrochées au sol.*

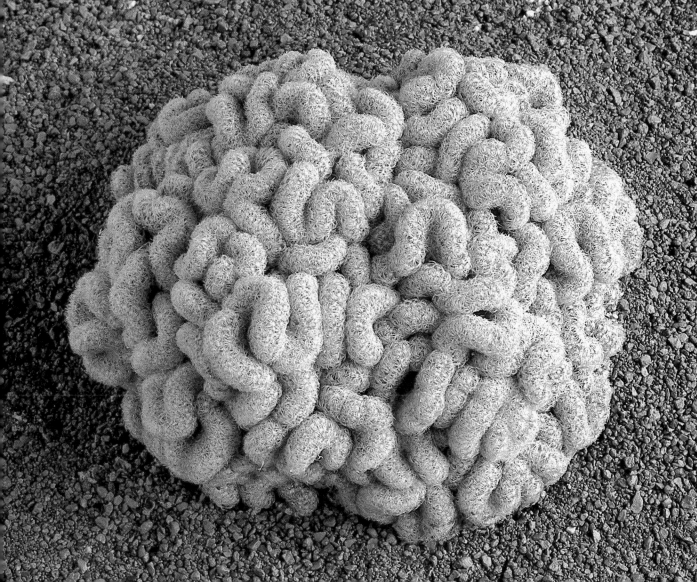

Diversité des plantes grasses

Bien que de nombreuses plantes grasses, tel l'*Aeonium tabulæforme* ci-contre, soient appréciées pour leur beauté en toute saison, certaines ont acquis, par l'évolution, des formes qui leur ont permis de survivre dans leurs milieux respectifs. *Fenestraria rhopalophylla* et *Haworthia maughanii* portent des feuilles dont l'extrémité translucide semblable à une fenêtre leur permet de recevoir la lumière. On les voit ici dressées au-dessus du sol mais, dans la nature, seules leurs extrémités apparaissent. Une autre plante grasse, *Anacampseros papyracea*, a des écailles qui laissent passer la lumière et arrêtent la chaleur.

LITHOPS KARASMONTAEA var. SUMMITATA
Des feuilles révèlent que ces cailloux sont des plantes.

ANACAMPSEROS PAPYRACEA
Des feuilles en forme d'écaille évitent la brûlure du soleil.

HAWORTHIA MAUGHANII
Elle s'enterre pour échapper à la chaleur.

CRASSULA PYRAMIDALIS
Les tiges sont isolées par des feuilles cunéiformes imbriquées.

AEONIUM TABULÆFORME
Rosette formée de centaines de feuilles conservant l'humidité.

EUPHORBIA ECHINUS
Des piquants jalonnent les nervures de cette plante grasse.

EUPHORBIA OBESA «CRISTATA»
Les nervures convolutées se gorgent d'eau et gonflent.

FENESTRARIA RHOPALOPHYLLA
Normalement, seules les extrémités des feuilles de la rosette sont visibles.

ESPÈCE CEROPEGIA
Ses fleurs tubuleuses attirent les insectes en vue de la pollinisation.

Surprenantes cactées

De nombreux jardiniers découvrant la culture des cactées ne savent pas qu'il en existe de nombreuses espèces démunies des raquettes, des piquants ou des colonnes de l'*Opuntia microdasys (à gauche)* ou de l'*Arrojadoa rhodantha (ci-contre)*. Il en est qui refusent d'admettre que l'*Erythrorhipsalis pilocarpa*, plante tropicale épiphyte vivant sur les arbres, est une espèce de cactée. Et, bien qu'aucun amateur ne puisse prendre un *Mammillaria* ou un *Monvillea* épineux pour un souci, de nombreuses cactées ont adopté des formes qui confondent et ravissent toujours les botanistes.

OPUNTIA MICRODASYS
Des raquettes plates à la surface limitée réduisent les pertes d'eau.

ASTROPHYTUM MYRIOSTIGMA
Cette espèce sans épines se camoufle grâce à ses aréoles.

PERESKIA ACULEATA « GODSEFFIANA »
Dans cette cactée primitive, les feuilles retiennent l'eau.

MAMMILLARIA (LEPTOCLADODIA) ELONGATA
Des épines serrées assurent le calorifugeage.

ERYTHRORHIPSALIS PILOCARPA
Ses tiges minces sont accrochées aux arbres ou aux surplombs rocheux.

ESPÈCE MAMMILLARIA
De véritables pelotes d'épines la défendent contre ses ennemis.

ARROJADOA RHODANTHA
Ses tiges dressées et minces peuvent atteindre la taille d'un homme.

MONVILLEA PHATNOSPERMA «CRISTATA»
Sa forme tourmentée est due à une anomalie de la pousse terminale.

figurent quelques-unes des espèces à floraison nocturne déjà mention-nées. Étant originaires des forêts tropicales, il leur faut de l'humidité et une ombre légère, conditions presque diamétralement opposées à celles que requièrent les autres cierges, et d'ailleurs pratiquement toutes les cactées qui sont pour la plupart originaires du désert.

Les plantes grasses sont apparues dans presque toutes les parties du monde, mais les cactées se sont cantonnées exclusivement dans l'hémisphère occidental, de l'Alaska au Chili.

DES PLANTES DE L'OUEST On pense que ces espèces ont été maintenues dans l'hémisphère occidental par la présence des océans qui l'entourent. Mais il est peut-être une exception à l'origine exclusivement américaine des cactées : les rhipsalis, sous-genre des cactées, comptant environ soixante espèces épiphytes. Ils ressemblent beaucoup aux *Rhipsalidopsis gaert-neri,* mais leurs fleurs sont plus simples et beaucoup plus petites. On en a trouvé quelques espèces dans les régions tropicales d'Afrique et à Madagascar, et la manière dont ils y sont parvenus a longtemps confondu les spécialistes des cactées. La dérive des continents constituait la réponse la plus plausible mais, en 1912, le savant français R. Roland-Gosselin émit l'idée que les graines de ces espèces avaient été transportées à travers l'Atlantique jusqu'en Afrique par des oiseaux grands migrateurs et que, de là, la plante avait gagné l'Europe et l'Asie du Sud-Est. De fait, la seule espèce trouvée si loin de son lieu d'origine porte des baies rouges qui semblent exercer une attraction quasi magnétique sur les oiseaux. Selon la légende, Pline l'Ancien il y a deux mille ans aurait été frappé par l'apparence du Figuier de Barbarie *(Opuntia Ficus-indica)* et aurait supposé que les graines avaient pu être apportées de quelque terre lointaine par des oiseaux. De toute façon, les Figuiers de Barbarie abondent tout autour de la Méditerranée où ils jouent le même rôle de délimitation des propriétés que les barrières dans les faubourgs des villes d'Europe.

Et d'ailleurs, le nom d'*Opuntia* n'a nullement une origine améri-caine : il vient de la ville d'Oponte, capitale de la Locride occidentale en Grèce, dont les habitants, les Locriens, étaient appelés par les Romains Locri opuntii. L'*Opuntia Ficus-indica* est si commun dans la région méditerranéenne qu'on le cultive en Sicile comme plante alimentaire. Et le mot hébreu pour son fruit, *sabra,* désigne maintenant les Juifs nés en Israël qui, comme la figue de Barbarie, sont, dit-on, rudes à l'extérieur et tendres à l'intérieur.

Les plantes grasses autres que les cactées se sont installées dans le monde entier, et parfois dans des endroits assez étonnants. *Sempervivum tectorum,* que l'on trouve dans de nombreux jardins de rocaille en Europe, est originaire des Alpes suisses et italiennes. Il en existe quelque vingt-cinq espèces, et la masse de leurs rosettes vivement colorées qui ressemblent à des artichauts aplatis envahissent rapidement les jardins si on les laisse se développer librement. *Sempervivum arachnoideum* a une masse de feuillage d'une teinte générale vert vif, et ses rosettes sont recouvertes, comme par une toile d'araignée, de grands poils soyeux blancs entrelacés. Comme les autres sempervirums, il est assez résistant pour être cultivé à l'extérieur dans la plupart des régions de l'Europe septentrionale.

Les autres plantes grasses, dont les critères de sélection sont bien moins sévères que ceux des cactées, compteraient au moins cinq mille espèces, et même le double selon certains spécialistes. *Mesembryanthemum*, genre de plantes grasses que l'on trouve dans le Sud de l'Afrique, compte à lui seul plusieurs milliers d'espèces, mais la tendance actuelle est de les diviser en plusieurs genres distincts.

L'Afrique australe est également le lieu d'origine de quelque deux cents espèces d'aloès qui produisent de magnifiques bouquets de fleurs en forme de cloche de teinte rouge doré. L'aloès, comme beaucoup de plantes importées en Europe, garde au moins une habitude de sa région

ADAPTATION AU CLIMAT

1. *Il y a environ 100 millions d'années, presque tout le monde occidental était recouvert par les mers, et les terres étaient des serres chaudes noyées sous la vapeur d'eau, envahies de plantes luxuriantes, ancêtres des cactées et des plantes grasses.*

2. *Puis, quelque 40 millions d'années plus tard, les montagnes se formèrent et de nouvelles terres apparurent. L'air humide des mers se refroidit sur les hauteurs, et les pluies se cantonnèrent surtout sur le versant occidental. Les terres situées sur le versant oriental s'asséchèrent. Les ancêtres des plantes grasses actuelles évoluèrent, formèrent des feuilles, des tiges et des racines plus épaisses pour emmagasiner le peu d'eau dont elles pouvaient encore bénéficier.*

3. *Il y a 40 millions d'années, les hautes montagnes qui existent toujours formaient une barrière arrêtant presque toutes les pluies du Pacifique sur leur versant occidental, et les plantes situées à l'est se spécialisèrent encore plus dans les déserts de l'intérieur. Les feuilles qui perdaient trop d'eau par évaporation disparurent, et les tiges s'épaissirent pour conserver l'eau. Leur enveloppe extérieure durcit et se couvrit d'un revêtement cireux afin de retenir l'humidité prisonnière.*

d'origine : il fleurit à l'automne et en hiver, quand la plupart des autres fleurs ont disparu, parce que la saison froide de l'hémisphère boréal correspond à l'ancienne période de végétation de la plante alors qu'elle se trouvait dans l'hémisphère austral.

L'Australie ne possède que deux plantes grasses indigènes : le *Carpobrotus edulis,* qui a de jolies fleurs roses de 10 centimètres et le *Ceropegia,* dont les fleurs bizarres, tubuleuses, ont parfois une surprenante couleur chocolat. En 1788, le gouvernement eut l'idée, qui devait se révéler malencontreuse par la suite, d'importer des Figuiers de Barbarie. La théorie était de les cultiver non pour leurs fruits, mais pour nourrir les cochenilles femelles qui, une fois séchées et écrasées, fourniraient une teinture rouge écarlate qui servirait à teindre les célèbres « habits rouges » des troupes coloniales britanniques. Mais ce qui devait être une économie pour les Australiens leur coûta finalement fort cher : les Figuiers de Barbarie, qui n'avaient pas d'ennemis naturels sur ce continent, l'envahirent littéralement et, en 1925, d'immenses étendues de terres autrefois arables — environ un tiers des 7,7 millions de kilomètres carrés de l'Australie — étaient recouvertes d'une masse si dense de ces cactées qu'elles étaient devenues inaccessibles aux cultivateurs, et sans doute aux ramasseurs de cochenilles eux-mêmes. Les plantes ne cédèrent ni au feu ni à la charrue. Finalement, après une centaine de tentatives de contrôle biologique, on importa d'Argentine un papillon qui déposait ses œufs sur les épines des figuiers ; après éclosion, les larves se nourrissaient sur la plante et les galeries qu'elles y foraient les faisaient rapidement dépérir et mourir.

L'ERREUR DES FRÈRES BURBANK

Même un horticulteur aussi avisé que l'était Luther Burbank se laissa aveugler pendant un certain temps par la perspective des richesses que l'on pouvait tirer des oponces. Son frère aîné Alfred annonça triomphalement au monde en 1911 que tous deux avaient créé une espèce sans épines qui « résoudrait le problème de la production de viande dans l'avenir » ; il s'agissait d'une plante capable de produire une tonne de fourrage par saison et par pied, et qui résistait en outre à des températures atteignant − 10°C. Les deux frères fondaient également beaucoup d'espoir sur le fruit d'une autre plante appartenant au genre *Cereus :* il devait avoir la taille d'une orange, être plus sucré que la fraise et recouvert d'une peau qui s'enlèverait comme un gant. Ils affirmèrent qu'il allait « devenir le roi des fruits du marché ». Inutile de dire qu'il n'en fut rien, et que leur oponce aussi fut un échec et ne parvint jamais à remplacer les autres fourrages. Le hic était en effet que l'oponce de Burbank se révéla beaucoup moins résistant à la sécheresse que l'espèce indigène ; en outre, comme il n'avait pas d'épines, il faisait le régal des rongeurs et des insectes nuisibles.

Bien que l'*Opuntia* à fourrage des Burbank n'ait pas fait sensation dans le monde de l'horticulture, comme ce fut le cas pour d'autres de leurs découvertes, les habitants des régions où ces cactées poussent en abondance ont toujours su qu'ils pouvaient en tirer une partie de leur

Un catalogue des cactées

En 1908, le botaniste allemand Karl Schumann mit de l'ordre dans la très nombreuse famille des cactacées ou cactées en les divisant, d'après leur degré d'évolution, en trois genres : *Pereskia*, *Opuntia* et *Cereus*.

Les membres du genre *Pereskia*, le plus primitif, ont de larges feuilles. Ceux de l'*Opuntia*, à touffes d'épines barbelées appelées glochides, ont survécu dans les régions chaudes et arides en modifiant les fonctions des feuilles — qui subsistent sous la forme d'excroissances coniques tombant lors de la croissance — et en développant des tiges épaisses pour emmagasiner l'eau. Les *Cereus*, les plus évolués et les plus nombreux, n'ont ni feuilles — les vestiges en tombent sur la jeune plante — ni glochides.

Les Pereskieae

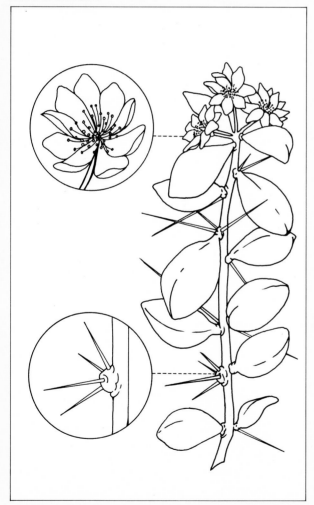

Ces cactées à feuilles sont originaires des forêts tropicales et des zones de brousse assez sèches, où leurs tiges allongées et leurs grandes feuilles sont adaptées à la chaleur. Les encadrés montrent une fleur typique en roue portée sur une tige (à l'inverse de la plupart des cactées), et une aréole — caractéristique de toutes les cactées — d'où partent feuilles et épines.

Les Opuntieae

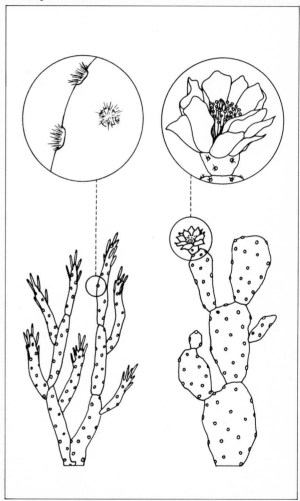

Adaptées aux milieux rudes et secs, du cercle arctique au Chili, les plantes de ce genre sont caractérisées par des glochides (encadré) et des tiges épaissies faites de segments en forme de saucisses qui retiennent l'eau. Les oponces, dont les Cylindropuntias (à gauche) et les Platyopuntias (à droite) sont les plus communes des cactées. Leurs fleurs tubuleuses (encadré) n'ont pas de tige.

Les Cerei Les membres de ce troisième genre ont peu de choses en commun avec les deux autres en dehors des fleurs sans tiges en forme d'entonnoir à tube bien dessiné; beaucoup ont des tiges charnues. Ce genre comprend au moins les trois quarts de toutes les cactées, et ses membres présentent d'énormes différences en raison de la diversité des milieux où elles se sont développées; on le divise en huit groupes qui sont énumérés et illustrés ici:

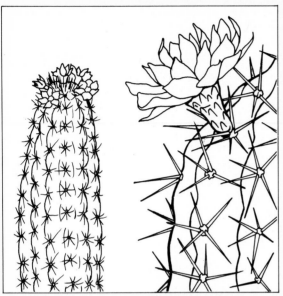

GROUPE DES CEREANAE

Les cactées de ce groupe, le plus important des huit, ressemblent, lorsqu'elles sont en fleurs, à des torches allumées. Elles sont dressées en forme de colonne, avec des nervures verticales, et comprennent les espèces les plus grandes et les plus durables.

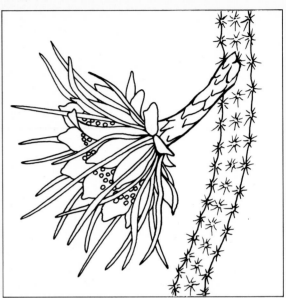

GROUPE DES HYLOCEREANAE

Il comprend les plus gracieuses des cactées à tiges rampantes ou grimpantes qui peuvent atteindre 2 à 5 mètres et ont, dans certains cas, des racines aériennes qui leur permettent de s'accrocher aux rochers ou aux arbres. Beaucoup portent de très belles fleurs odorantes.

GROUPE DES ECHINOCEREANAE

Ces cactées de forme sphérique, de moins de 30 cm de haut en général, sont recouverts d'un réseau serré d'épines qui les protègent des prédateurs et abritent leurs tiges de l'ardeur du soleil. Elles portent des fleurs en forme de trompette dont la vie est très brève.

GROUPE DES ECHINOCACTANAE

Reines du mimétisme, les cactées de ce groupe, dont la plupart sont de taille moyenne, se fondent si bien dans leur environnement qu'elles n'ont guère besoin d'épines pour se défendre. Les fleurs poussent sur le centre de la plante. L'une des plus connue est le Ferocactus.

GROUPE DES CACTANAE

Plantes tropicales à la forme caractéristique de melon, les membres de ce groupe se caractérisent par le cephalium — couronne fibreuse en forme de fez d'où partent de minuscules fleurs et baies. Le Melocactus intortus appartient à ce groupe.

GROUPE DES CORYPHANTHANAE

Les cactées de ce groupe, de forme sphérique, sont hérissées d'épines droites ou recourbées qui les font ressembler à des pelotes d'épingles. Les genres Mammillaria et Coryphanta ont la particularité de remplacer les nervures par des mamelons.

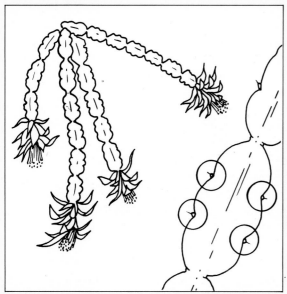

GROUPE DES EPIPHYLLANAE

Épiphytes tropicales qui disposent de racines aériennes pour s'alimenter de l'humus déposé aux fourches des arbres, ces cactées ont des tiges larges et plates ressemblant à une chaîne de feuilles. Les aréoles ne portent que de petites épines.

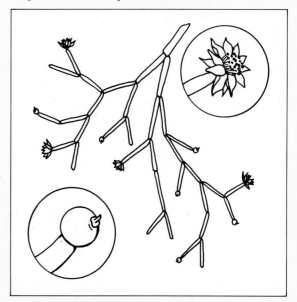

GROUPE DES RHIPSALIDANAE

Les cactées de ce second groupe d'épiphytes ressemblent à des branches mortes. Sans épines, souvent aussi minces que des brindilles, elles ont de petites fleurs blanches ou roses (encadré à droite) et des baies (encadré à gauche) qui ressemblent à des groseilles.

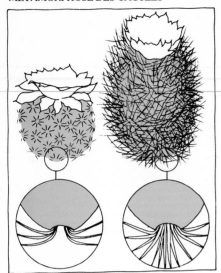

Les épines du Coryphantha cornifera *jeune (à gauche) sont si différentes de celles de la plante adulte que les savants les avaient classées dans deux espèces. Les épines simples, légères, de la jeune plante s'évasent (croquis de gauche) pour laisser s'ouvrir la fleur; la plante adulte a de longues épines centrales rigides (croquis de droite) qui empêchent la fleur de s'épanouir pleinement. De nombreuses cactées se modifient avec l'âge, ont plus d'épines, des poils, et changent même de forme.*

nourriture. Au Mexique, les fruits sucrés de 5 centimètres de l'*Opuntia streptacantha* servent à confectionner une confiture qui est aussi prisée dans le pays que la marmelade d'oranges en Grande-Bretagne. Et une cactée géante, *Carnegiea gigantea,* après trois années consécutives de sécheresse, peut encore produire trois cents fruits ressemblant à des œufs de poule violets que l'on peut manger frais, conservés dans leur propre sucre, ou dont on peut encore faire un vin.

L'agave, appelé parfois Aloès d'Amérique, est peut-être encore plus important du point de vue économique que l'oponce, et certainement plus que le *Carnegiea gigantea*. Ce genre compte plus de deux cents espèces de plantes grasses qui comprennent l'Agave américain (*A. americana*), qui met de dix à cinquante ans pour produire ses énormes bouquets de fleurs portés par des tiges atteignant jusqu'à 9 mètres de haut. Deux espèces, l'*Agave sisalana* et l'*Agave fourcroydes* sont moins prisées pour leur beauté que pour leurs fibres, le sisal, avec lesquelles on fait des cordes. D'autres agaves fournissent la matière première de boissons alcoolisées très appréciées des Mexicains : le pulque, qui donne un breuvage du même nom, très fort, et la téquilana, dont on réduit la tige en pulpe que l'on fait fermenter pour en distiller ensuite la célèbre téquila, connue depuis longtemps bien au-delà des frontières de son pays d'origine.

Le peyotl *Lophophora williamsii*, minuscule cactus du Mexique et du Sud du Texas est, en dépit de son apparence inoffensive, la plante dont on tire un alcaloïde, la mescaline ; ses propriétés hallucinogènes sont si puissantes que la culture du peyotl est interdite par la loi ; une seule exception est faite en faveur des membres de la Native American Church (Église des Américains d'origine), représentée dans plusieurs tribus indiennes du Sud-Ouest des États-Unis et qui utilise la mescaline dans l'administration des sacrements.

Les Grecs de l'Antiquité, qui ne connaissaient pas — et pour cause — le peyotl, extrayaient depuis au moins quatre siècles avant J.-C. un hallucinogène puissant à partir des aloès, et le roi Salomon en faisait pousser cinq cents ans auparavant dans les jardins de Jérusalem, probablement pour une utilisation médicale. L'empereur aztèque Montezuma faisait cultiver des cactées dans ses jardins de Tehuantepec, ce qui n'a rien de surprenant étant donné qu'il existait dans son royaume, et qu'il existe toujours au Mexique, plus de variétés de cactées que dans aucune autre partie du monde. Plus étonnante était la coutume qui obligeait les jardiniers à arroser les jeunes plants avec du sang prélevé de leurs propres oreilles en guise de sacrifice aux dieux.

Les historiens sont d'accord sur le fait que les Européens n'avaient jamais vu de cactées — à part peut-être quelques oponces — avant que les premiers missionnaires n'en apportent. Comme on pouvait s'y attendre, ces plantes qui ne ressemblaient à aucun végétal connu furent accueillies avec un étonnement qui frisait l'incrédulité, et ceux qui purent se procurer les rares spéciments disponibles se consacrèrent avec ardeur à leur étude. Vers le milieu du XVIIIe siècle, le taxonomiste suédois Linné n'avait répertorié que vingt-quatre espèces de cactées (environ 2 p. 100 du nombre connu actuellement) dans son *Genera plantarum*, à l'origine de la classification moderne des plantes.

Mais les Européens devaient peu à peu se rendre compte qu'il existait bien plus de deux douzaines d'espèces et, en 1837, James Forbes, responsable des jardins du duc de Bedford à Woburn Abbey, en Angleterre, découvrit qu'il existait d'importantes collections de cactées en Allemagne et en Belgique ; il en fut apparemment très surpris car la collection personnelle du duc était généralement considérée comme sans rivale. Forbes, avec modestie, commanda deux cents espèces à un certain Herr Otto de Berlin et autant à Herr Seitz, de Dresde.

Un demi-siècle plus tard, on connaissait des centaines d'autres espèces de cactées en Europe. C'est ainsi que, à l'Exposition universelle de Paris en 1889, on put admirer la « Barbe-de-Vieillard », *Cephalocereus senilis*, cactus de forme cylindrique atteignant 15 mètres de haut dans son Mexique natal et qui, présenté comme une plante rare, fit sensation. Les Parisiens furent séduits par les longs poils laineux cachant les épines acérées de cette espèce, et il en résulta une vogue des cactées qui ne prit fin qu'au début de la Première Guerre mondiale. Mais l'armistice à peine signé, quelque quatre ans plus tard, la mode des cactées revint à l'honneur et le Mexique se vit bientôt dépouillé de ses *Cephalocereus senilis* par des exportateurs avides, comme il l'avait été de son or quatre siècles auparavant par les conquistadores espagnols. Le gouvernement mexicain fut alors contraint de promulguer une loi interdisant l'exportation de toutes les cactées, mesure qui amena les pépiniéristes à propager les cactées par leurs graines. Les choses se passèrent très bien et les Européens disposèrent bientôt de toutes les cactées qu'ils voulaient, solution satisfaisante pour tout le monde.

Cependant, non contents d'acclimater chez eux les espèces naturelles, les Européens travaillaient à en créer de nouvelles. Par exemple, dans le genre *Epiphyllum* (nom qui signifie « sur la feuille »), on ne compte pas moins de trois mille hybrides dont les premiers furent introduits en Angleterre en 1839.

Si l'Europe mit fort longtemps à apprécier les cactées (plusieurs centaines d'années), en Amérique, il n'y a pas si longtemps, le citoyen moyen, tout en connaissant parfaitement leur existence, n'avait jamais vu une de ces plantes, pourtant abondantes dans son pays. Et, en 1891, alors que la vogue des cactées se répandait déjà en Europe, un journal mensuel de Philadelphie écrivait : « Il existe de nos jours des associations pour toutes sortes de choses, mais la dernière à laquelle on pourrait penser serait une association d'encouragement à la culture des cactus. »

A la fin du siècle, un pépiniériste allemand, Johannes Nicolaï, de Dresde, avait créé trois cents nouveaux hybrides d'épiphylles. En 1930, les Américains poursuivirent son œuvre en Californie : les épiphylles avaient dès lors bouclé la boucle en revenant dans la région du Mexique d'où ils étaient originaires.

Les fleurs de cactées: des cendrillons

«Des formes grotesques vont rarement de pair avec la beauté florale dans le monde végétal», écrivait en 1884 le botaniste britannique Lewis Castle, qui ajoutait cependant que ce genre de rencontre se produisait parfois, en précisant qu'«aucune famille ne présente de plus remarquables exemples de cette réunion de caractères totalement opposés que le grand et très spécial genre des cactées». De fait, leurs fleurs sont souvent des rivales redoutables pour celles des autres plantes.

Les fleurs des cactées qui s'épanouissent le jour se parent souvent de couleurs éclatantes et brillantes, rouge, orange et jaune, pour attirer les insectes en vue de la pollinisation. Les fleurs qui s'ouvrent la nuit sont généralement d'un blanc cireux et tentent les insectes par des émanations puissantes de senteurs de vanille, de chèvrefeuille ou de jacinthe. La période de la floraison étant brève et se produisant souvent à des heures inhabituelles, il est en général assez difficile de voir s'épanouir les fleurs des cactées. Si vous travaillez dans la journée, vous ne verrez que rarement celles des plantes diurnes qui se referment au crépuscule, et l'on dort généralement au moment où sont ouvertes celles des plantes nocturnes qui se ferment à l'aube. Pourtant, le spectacle de la floraison des cactées vaut qu'on fasse l'effort d'y assister.

A l'inverse de la plupart des fleurs, celles des cactées sont portées par une tige courte, et leurs pétales et sépales présentent peu de différences. Elles naissent sur les aréoles et ont des formes allant de la roue plate à l'entonnoir profond. Beaucoup ont des centaines d'étamines sensibles qui se contractent au plus léger contact d'un insecte.

Les cactées qui fleurissent facilement, comme les espèces *Mammillaria, Notocactus, Parodia* et *Rebutia*, représentées pages 26-29, demandent peu de soins pourvu qu'elles aient huit heures quotidiennes de lumière et qu'on les arrose de temps en temps. Certaines parviennent à l'état adulte en l'espace de un ou deux ans, et elles fleurissent dès lors régulièrement chaque année.

Les cactées des pages 30-31 mettent généralement plus longtemps pour devenir adultes et demandent plus de soins. *Melocactus matanzanus*, par exemple, ne fleurira qu'après quatre ou cinq ans de culture attentive à une température ne descendant jamais au-dessous de 15°C — pourvu qu'il soit dans un emplacement assez vaste pour contenir ses racines. Mais, avec le temps, même les cactées les plus réticentes finiront par s'épanouir et prouver du même coup qu'elles sont bien les cendrillons du royaume des plantes.

Les fleurs du Gymnocalycium damsii *s'ouvrent au printemps et peuvent tenir une semaine à l'intérieur. Elles varient du rose au blanc.*

Des fleurs sans histoires

MAMMILLARIA CHINOCEPHALA
Avec un bon ensoleillement, ces fleurs s'épanouissent volontiers.

NOTOCACTUS LENINGHAUSII
Cette plante croît lentement mais fleurit jeune.

MAMMILLARIA PROLIFERA
*On peut attendre d'elle un
véritable bouquet de fleurs.*

NEOPORTERIA NIDUS
*A floraison précoce, cette plante
ouvre ses fleurs dès février*

MAMMILLARIA WILDII
*Cette espèce, à floraison abondante,
n'a qu'une courte période de repos.*

REBUTIA SENILIS
*Ses fleurs en entonnoir s'ouvrent
à plaisir au printemps.*

MAMMILLARIA ZEPHYRANTHOIDES
*A l'inverse de la plupart des Mamillaires,
cette espèce porte de grandes fleurs.*

NOTOCACTUS HERTERI
Cette espèce fleurit très jeune et supporte des basses températures en hiver.

PARODIA CHRYSACANTHION
Ses fleurs éclatantes s'ouvrent tôt au printemps s'il y a beaucoup de lumière.

NOTOCACTUS OTTONIS « URUGUAYENSIS »
Ses fleurs éclatantes de 5 cm ne s'ouvrent que le jour.

Plantes qui demandent des soins

ECHINOCEREUS PENTALOPHUS
*Cette plante a besoin d'un bon
ensoleillement pour grandir et fleurir.*

WILCOXIA POSELGERI
*Cette espèce fleurit si on la greffe sur une
autre cactée ou si on lui donne celle-la pour tuteur.*

NEOPORTERIA
Risquant facilement de pourrir,
il doit être gardé très sec.

THELOCACTUS BICOLOR
Ses fleurs, larges de 8 cm, ont besoin de
beaucoup de lumière pour apparaître.

MELOCACTUS MATANZANUS
Il demande souvent quatre ou cinq
ans de culture avant de fleurir.

31

Des hôtes peu exigeants

Heureusement pour les jardiniers disposant de peu de place à l'extérieur ou vivant sous un climat inhospitalier l'hiver, de nombreuses cactées et autres plantes grasses ne demandent qu'une petite place au soleil pour prospérer — fût-ce sur un étroit appui de fenêtre. En fait, certaines se contentent de peu de soleil, mais la plupart ont besoin d'en recevoir au moins quatre heures par jour. Si vous ne répondez pas à ces modestes exigences, vous risquez de les voir périr ou, tout au moins, de ne jamais les voir fleurir.

Mais il existe au moins une plante grasse, la sansevière, qui croît sans le moindre rayon de soleil, et il n'est donc nullement étonnant de voir ses bouquets de feuilles vertes, dressées et zébrées, et ressemblant à des sabres à l'envers, s'épanouir en généreuses masses de verdure même sur un rebord de fenêtre situé au nord. Toutefois, la plupart des autres espèces exigent, lorsqu'elles sont cultivées dans un milieu aussi peu éclairé par la lumière naturelle, l'apport d'un éclairage artificiel supplémentaire pour prospérer.

Selon l'espace dont vous disposez, il existe une étonnante gamme de tailles dans les plantes grasses, depuis le minuscule *Fenestraria rhopalophylla* jusqu'au *Carnegiea gigantea* qui peut atteindre 18 mètres de haut. Le fascinant *Fenestraria rhopalophylla*, originaire d'Afrique australe, s'enterre en ne laissant apparaître qu'une douzaine de millimètres de l'extrémité aplatie et translucide de ses feuilles; cette petite surface fait office de fenêtre pour recevoir les rayons solaires permettant à la plante d'assurer l'assimilation de la chlorophylle, tout en étant en majeure partie enfouie dans le sol. Cette « Plante-à-fenêtres », comme on la nomme parfois, a besoin évidemment d'un éclairement intense et constant, faute de quoi elle dépérit et meurt. Certains jardiniers la mettent en pot en l'exposant plus qu'elle ne l'est dans son habitat naturel, afin de ne courir aucun risque et d'être bien sûrs qu'elle recevra suffisamment de lumière.

Après cette espèce minuscule, les amateurs de plantes grasses ont un choix à peu près illimité de tailles. Mais, à une époque où les plafonds des résidences ont une fâcheuse tendance à se rapprocher de plus en plus

Ces plantes grasses avides de lumière prospèrent dans une véranda orientée au sud-est et ensoleillée plusieurs heures par jour. En hiver, on les expose à la lumière artificielle et, en été, on les sort.

33

du plancher, bien peu de gens ont l'emploi de spécimens géants ; à moins que vous ne disposiez chez vous d'une véritable salle de bal, mieux vaut vous borner à admirer ces espèces dans les jardins botaniques. Il existe cependant de nombreuses cactées d'une dimension raisonnable, comme le *Stenocereus* qui peut être cultivé dans un espace réduit. Si vous êtes irrésistiblement attiré par un *Carnegiea gigantea*, on ne peut que vous souhaiter bon courage : le fait de le mettre en pot a en général pour résultat d'arrêter le développement des racines dont il a besoin pour grandir. De toute façon, ces monstres mettent jusqu'à dix ans dans leur habitat naturel pour atteindre 10 cm de hauteur, et deux cent cinquante ans pour parvenir à 15 mètres. Si par hasard votre *C. gigantea* en pot semblait décidé à atteindre sa taille normale, il vous sera toujours loisible d'en faire don au plus proche jardin botanique et de vous rabattre sur son cousin d'une taille nettement moins imposante, le *Cephalocereus senilis*, ou Barbe-de-Vieillard, qui fit la conquête des Parisiens lors de l'Exposition universelle de 1889.

LAISSEZ-LES SÉCHER Que votre collection soit constituée par plusieurs *C. gigantea* spectaculaires ou que vous vous contentiez de plantes grasses plus modestes, le succès ou l'échec de vos cultures dépend avant tout de la mise en pot. Hors de son milieu naturel, le meilleur habitat pour une cactée ou une plante grasse est un pot en argile muni au fond d'un grand trou de drainage. Ces pots sont poreux et assurent aux racines tout l'air dont elles ont besoin. Les pots en plastique, non poreux, retiennent l'humidité — ce qui est parfait pour les fougères, mais risque d'être fatal aux plantes grasses en provoquant un début de pourrissement sur les racines et sur l'envers des feuilles et des tiges. Si donc vous avez une plante grasse dans un pot de plastique, mettez-la aussitôt que possible dans un pot d'argile sans toucher à la motte des racines.

Qu'il soit neuf ou que vous l'ayez utilisé pour d'autres plantes, un pot d'argile doit être nettoyé à l'eau chaude et au savon. Si certains de vos vieux pots sont très abîmés ou fêlés, ne les jetez pas : cassez-les en gros morceaux qui vous serviront à recouvrir les trous de drainage des pots en état de servir. Broyez ensuite le reste du pot brisé au marteau en fragments de la grosseur d'un gravier grossier, que vous utiliserez pour faire des couches de drainage. Pour éviter éclats et poussière, mettez les morceaux dans une vieille serviette pour les broyer. Et, bien sûr, si vous ne disposez pas de vieux pots ou de débris de pots, du gravier ordinaire fera très bien l'affaire.

COMPOSITION DU MÉLANGE Le mélange classique pour les cactées est composé en parts égales de compost préparé pour plantes en pot, riche en humus, et de sable pour améliorer le drainage. On peut remplacer le sable par de la vermiculite, de la perlite ou du grès (si l'on ne dispose pas de perlite), ou encore mélanger ces différents matériaux gréseux. Un peu de charbon de bois empêchera le mélange de devenir trop acide. Si vous faites vous-même votre mélange, utilisez du sable de carrière ; celui des plages est trop salé. Stérilisez ce mélange en le passant à la vapeur pendant au moins dix minutes à une température de 80° C.

Comme vous pouvez vous en rendre compte rien qu'en la regardant, rempoter une cactée, particulièrement si elle est grosse, est une affaire délicate qui nécessite une certaine préparation ; si vous avez déjà essayé en vain de retirer une glochide barbelée solidement fichée dans le bout de votre doigt, vous vous en doutez déjà. Mettez des gants de cuir et gardez des pincettes à portée de main, ainsi qu'un chiffon ou un journal roulé pour maintenir la plante pendant que vous répartissez le mélange autour des racines. Tassez ce mélange fréquemment en utilisant pour cela le bout arrondi des pincettes.

N'arrosez pas une cactée ou toute autre plante grasse immédiatement après le rempotage : elles ont besoin d'au moins une semaine de repos avant d'avoir de l'eau, à l'inverse des autres plantes que vous arrosez presque machinalement tout de suite après la mise en pot. Faites toutefois une exception pour les très jeunes plants dont le sol doit être humidifié immédiatement après le rempotage.

Fort heureusement, la plupart des plantes grasses ont une croissance très lente, et il n'est besoin de les changer de pot que tous les trois ans à peu près, car elles épuisent le sol avant de déborder de leur récipient. Ajoutez au printemps une cuillerée à café de poudre d'os aux pots moyens mesurant de 10 à 20 cm de diamètre, jusqu'à ce que les plantes demandent visiblement à être changées de récipient après avoir suffisamment grandi. Pour qu'elles y soient parfaitement à l'aise, il faut qu'elles disposent autour d'elles d'une couronne de terre mesurant environ 2,5 centimètres de large.

Le maître mot à garder à l'esprit pour l'arrosage des cactées est « modération ». Ces plantes meurent essentiellement d'un excès d'eau. Rappelez-vous, en prenant l'arrosoir, que certaines cactées sont déjà constituées d'eau à 95 p. 100, et qu'elles supporteront d'être laissées à sec une fois ou deux. En hiver, période de repos de la végétation, un arrosage par mois est suffisant, sauf pour celles qui sont dans des pots de 5 centimètres ou moins. D'ailleurs, la seule raison d'arroser en hiver est d'empêcher les plantes de se recroqueviller et d'enlaidir.

Pendant le reste de l'année, les cactées sont actives et ont besoin d'environ un arrosage par semaine, sauf les très jeunes plantes qui peuvent en exiger deux ou trois. Des conditions de sécheresse excessive ou de grande chaleur de l'environnement peuvent également rendre indispensables des arrosages plus fréquents. Le meilleur moyen de savoir si cactées et autres plantes grasses ont assez d'eau est d'étudier leur aspect : elles doivent être rebondies, bien gonflées d'eau. Si au contraire elles sont ratatinées, augmentez aussitôt leur ration d'eau en imbibant bien le sol à chaque arrosage. Si le pot est posé sur une soucoupe, videz régulièrement l'eau qui pourrait s'y répandre par le trou de drainage.

Les autres plantes grasses demandent en général des arrosages deux fois plus nombreux que les cactées — deux ou trois fois par semaine en été, deux fois par mois en hiver —, mais c'est en définitive l'expérience

Il est facile de rempoter un cactus épineux en s'aidant d'un journal roulé. Commencez par recouvrir le trou de drainage du nouveau pot avec un tesson, et remplissez-en le tiers inférieur de gravier surmonté d'une couche de 2,5 cm au moins de compost. Tapotez le fond du vieux pot pour décoller la terre puis enveloppez le cactus dans le journal et retirez-le. Mettez-le dans le nouveau pot de façon que le dessus de la terre arrive à 12 mm du bord du pot, et garnissez de compost le pourtour de la motte. N'arrosez qu'une semaine plus tard.

qui vous enseignera la bonne fréquence d'arrosage nécessaire à chacune de vos plantes.

Enfoncer un doigt dans la terre pour juger de son état de siccité vous donne une bonne indication pour la plupart des plantes d'intérieur et pour les plantes grasses ; mais pour celles-ci la sécheresse au toucher ne veut pas forcément dire que le moment est venu d'arroser. Cela peut simplement signifier que le drainage est bon. Si ce n'est pas le cas et que le sol reste détrempé, rempotez la plante dans un mélange en parts égales de compost préparé pour plantes en pot et de sable.

Une fois que vos cactées et autres plantes grasses sont convenablement mises en pot et que vous avez déterminé la fréquence d'arrosage, il ne vous reste guère qu'à les maintenir propres et à les protéger de la maladie et des insectes. Un des fléaux de l'existence des amateurs de plantes grasses est la pourriture qui se manifeste en général par l'apparition à la base de`la plante d'une tache noire recouvrant le tissu doux et charnu. Le couteau à pamplemousse, avec son extrémité dentée, est l'outil idéal pour enlever ces marques de pourriture, et vous apprendrez vite à en conserver un à portée de main même si vous n'aimez pas les pamplemousses. Enlevez le tissu malade avec le couteau et saupoudrez la blessure de soufre sublimé ou de fleurs de soufre pour éviter l'infection, puis stérilisez le couteau. Une nouvelle peau dure, appelée cal, recouvrira bientôt la plaie. Traitez de la même manière la pourriture due à l'excès d'arrosage et celle provoquée par une infection.

LE CHOIX D'UN POT PARFAIT

 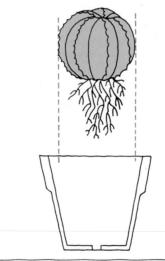 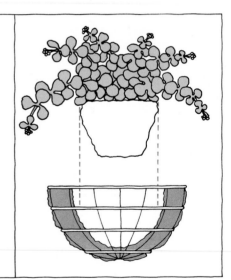

Les plantes grasses mises dans des pots trop petits ou trop grands risquent de ne pas prospérer. Le pot doit avoir un diamètre égal à la hauteur de la plante pour les grandes espèces.

Les plantes grasses à port en boule poussent en général mieux dans des récipients assez étroits. Mettez-les dans un pot d'un diamètre supérieur de 2,5 cm seulement à celui de la plante.

Les paniers suspendus pour plantes grasses doivent être assez grands pour contenir la couche de sphagnum qui tient la terre, et généralement d'un diamètre supérieur de 10 cm à celui de la motte.

Bien que leur peau épaisse décourage les insectes, les cactées et les plantes grasses ne sont nullement immunisées contre eux. Les plus dangereux sont probablement les cochenilles des serres ; elles ressemblent à de petites boules de coton qui seraient tombées sur la plante et s'y seraient accrochées. Elles cachent une carapace lisse qui protège efficacement les insectes. Si on ne les enlève pas de la plante, ils suceront sa sève et laisseront des traces de miellat visqueux. Pour vous en débarrasser, enlevez-les avec un cure-dent ou tuez-les en les touchant avec un coton imbibé d'alcool méthylique. N'attendez pas pour procéder à cette opération, et intervenez dès que vous voyez les premières cochenilles, en particulier si vos plantes passent l'été dehors ; en effet, toutes les fourmis du voisinage se précipiteraient pour se régaler des sécrétions sucrées des cochenilles et, ce faisant, transporteraient celles-ci sur d'autres plantes.

Si l'infestation est très importante, pulvérisez de la nicotine ou un insecticide comme le formothion ou le dimethoate qui sont fournis en paquets prêts à l'emploi ; suivez soigneusement les instructions portées sur l'emballage. Opérez à l'extérieur de préférence, ou à proximité d'une fenêtre ouverte.

Deux autres insectes suceurs qui attaquent les plantes grasses sont les pucerons, qui ressemblent à de minuscules sauterelles, et une autre variété de cochenilles qui apparaissent sous la forme de petits points généralement marron et se rassemblent autour des aréoles des cactées. Nettoyez la plante à l'eau savonneuse et rincez à l'eau pure ; si ce traitement simple n'est pas suffisant, utilisez les insecticides qui vous sont conseillés dans le paragraphe ci-dessus.

Il existe un autre insecte particulièrement insidieux parce qu'il s'agit d'un ver nématode qui s'attaque aux racines. Les premiers signes visibles de sa présence sont une décoloration de la plante et un ralentissement net de sa croissance. Quand cela se produit, dépotez-la et regardez s'il n'y a pas de grosseurs suspectes sur les racines ; si c'est le cas, coupez la partie atteinte avec un couteau stérilisé et bien affûté. Laissez les autres racines exposées à l'air pendant une semaine et rempotez ensuite dans un nouveau mélange de terre.

Les seuls autres soins à donner aux plantes grasses consistent en l'enlèvement des parties mortes ou malades ; coupez-les toujours à la jointure la plus proche les unissant à la partie principale. Bien que le pincement ne soit pas d'une pratique courante sur les plantes grasses pour encourager la floraison, il convient de supprimer les parties qui ont une croissance faible pour faire de la place aux tiges ou aux feuilles qui se développent mieux.

Il y a bien peu de gens qui n'ont possédé un jour ou l'autre une plante grasse, au moins l'une des espèces les plus courantes, tant elles sont abondantes, en particulier dans les supermarchés et les grands magasins, où elles sont exposées et proposées à des prix intéressants de manière à donner au client une envie presque irrésistible d'en acheter une, bien qu'il ne soit pas venu pour cela.

Les plantes grasses sont évidemment moins périssables que les légumes ou les plats cuisinés, mais elles ne sont cependant pas aussi résistantes que des jouets ou des presse-papiers ; pourtant, dans certains de ces grands magasins — et même dans certains garden centers —, les employés ne semblent pas savoir qu'il faut les arroser occasionnellement. L'éclairage y est souvent mal adapté à un séjour de plus de quelques jours pour les plantes, surtout si elles ont été emballées depuis un certain temps déjà. Examinez donc soigneusement chacune d'elles, que ce soit dans un supermarché ou même chez un fleuriste, afin de vous assurer qu'elle est en bonne santé et qu'elle n'est attaquée ni par les insectes ni par la pourriture. Vous ne pouvez les dépoter pour voir si les racines sont envahies par les vers, mais un œil exercé détecte vite toute trace de pourriture autour du pied.

Regardez de très près les plantes chères et de grande taille pour être certain que leurs racines sont bien développées et qu'elles sont donc depuis un certain temps dans leur pot. Pour vous en rendre compte, maintenez le pot d'une main et poussez fortement la plante de l'autre. Si elle ne bouge pas, c'est probablement que ses racines sont bien établies.

Une manière commode et agréable de se procurer des plantes grasses sortant de l'ordinaire est de les commander sur catalogue à des pépiniéristes spécialisés dans leur culture. Ces catalogues sont aussi tentants pour les amateurs de cactées que ceux de semences pour les jardiniers moyens. Évitez de passer vos commandes en hiver : les plantes, envoyées à vos risques et périls, pourraient geler durant le transport. Elles sont en général expédiées les racines nues ou dépotées. Il convient de les mettre en pot dès leur arrivée. L'avantage de recevoir des plantes avec les racines nues est que l'on peut ainsi facilement voir si elles ne sont pas infestées par des vers. Aucun pépiniériste n'expédiera délibérément des plantes défectueuses si cela doit être un peu trop apparent à l'arrivée.

Quelle que soit la manière dont vous vous procurez des cactées, elles décoreront votre intérieur de plaisante façon. Par exemple, vous pouvez garnir un coin ensoleillé de votre demeure de plantes pas nécessairement grandes, ni chères. Pensez que leur présentation sera plus attrayante si vous mettez une ou deux grandes plantes au fond et, devant elles, des spécimens de plus en plus petits. Leur nombre dépend de la dimension de la pièce dans laquelle vous les placez. Si vous craignez qu'il y en ait trop, n'hésitez pas : ne gardez que les plus belles et mettez les autres ailleurs. Celles que vous aurez sélectionnées pousseront mieux et feront meilleur effet si elles ne sont pas trop serrées.

Vous pouvez réaliser une exposition particulièrement attrayante de cactées et de plantes grasses dans une espèce de bac à sable dont la hauteur sera déterminée par la taille de la plus grande des plantes. Confectionnez le bac avec de vieux morceaux de bois ; l'effet obtenu sera d'autant plus frappant qu'ils seront plus marqués par les intempéries, puisque vous cherchez en définitive à créer un paysage de désert en miniature. Doublez votre bac avec deux feuilles de plastique pour éviter que l'eau d'arrosage ne se répande sur le plancher.

Placez les plantes à l'intérieur du bac dans leur pot et remplissez les intervalles avec du sable ou de la terre. Si votre bac est très grand, vous pouvez diminuer la quantité de sable nécessaire en mettant du papier journal froissé entre les plantes et en les recouvrant d'une autre feuille de plastique. Pratiquez ensuite des ouvertures pour les pots dans ce plastique et recouvrez-le d'une couche de sable pour recréer l'atmosphère d'un petit désert dans un coin de votre salle de séjour. Vous pouvez encore améliorer le paysage en disposant quelques cailloux et des plaques de gravier sur le sable. Mais, si vous ne disposez que d'une place limitée, vous pouvez néanmoins réaliser une attrayante exposition de plantes grasses dans une simple rôtissoire de fer blanc posée sur l'appui d'une fenêtre ensoleillée.

Le plus petit paysage miniature réalisable est le jardin japonais qui convient à de nombreux types de plantes, mais en particulier aux plantes grasses; elles croissent si lentement qu'un arrangement bien calculé permet de les conserver deux ou trois ans sans avoir à les changer de récipient. Il est toute une série de petites plantes dont beaucoup ont des formes extraordinaires, qui peuvent faire d'un jardin japonais une véritable œuvre d'art.

Vous trouverez sans doute d'excellents récipients pour ce genre de jardin dans le fond de vos placards de cuisine: un bol en faïence craquelé aux couleurs un peu passées, une boîte à ranger les couverts ou une tasse à thé dépareillée que vous étiez prêt à jeter. Même un dessous de pot de fleurs profond de 5 cm peut accueillir une collection de petites plantes grasses et tenir une place naturelle et discrète dans le décor d'une pièce.

Commencez par garnir le fond du récipient d'une couche de gravier pour assurer le drainage, la plupart n'ayant pas de trou au fond. S'il fuit, ce n'en sera que mieux pour votre jardin miniature de plantes grasses. Étendez une mince couche de charbon de bois broyé sur le gravier. Il purifiera le sol et assurera un meilleur équilibre chimique sans accélérer la croissance des plantes, ce qui est parfait puisque justement votre objectif est de leur conserver une taille réduite. Vous pouvez réaliser un remarquable jardin japonais de plantes grasses avec uniquement des échevérias aux opulentes rosettes de dimensions variables — depuis *E.* x *expatriata*, (x *Cremneria expatriata*), à petites feuilles, qui porte aussi de minuscules fleurs roses, jusqu'à *E. elegans*, aux feuilles un peu plus grandes et d'un blanc pur.

Il est également possible de varier la présentation en mettant un morceau de rocher au milieu du récipient et en faisant descendre le sol en pente douce du centre vers les bords. Vous pouvez alors mélanger les échevérias aux lithops, qui ressemblent à des cailloux fissurés (des fleurs peuvent apparaître dans les fentes), aux haworthias dont les petites feuilles sont zébrées, ou à toute autre plante miniature. Ne chargez pas trop votre jardin: dispersées, les plantes ont l'air plus naturelles; en

UN DÉSERT DANS UN PLAT

outre, leur croissance s'effectue dans de meilleures conditions. Garnissez l'espace entre les plantes avec de petits cailloux blancs ou colorés et des morceaux d'écorce de manière à recréer un paysage naturel, par exemple le lit asséché d'une rivière.

UN LIT DE PIERRE PONCE Un morceau de roche volcanique percé de trous, de la pierre ponce par exemple, peut constituer un récipient excellent et original pour un jardin japonais. Ses teintes grises et marron ainsi que sa texture rugueuse et ses contours naturellement tourmentés évoquent parfaitement un paysage aride et désolé. Les plantes grasses se marient merveilleusement à cet environnement et, lorsqu'elles sont disposées convenablement, elles donnent l'impression d'avoir été transplantées directement de quelque désert. On peut se procurer de la pierre ponce dans les magasins d'horticulture ou dans les garden centers. Ne la manipulez qu'avec des gants : dans sa forme la plus grossière, elle est essentiellement faite de verre et l'on peut facilement se faire une vilaine coupure en s'y frottant simplement les mains.

Avant de placer votre plante dans le trou préparé à son intention dans le morceau de pierre ponce, mettez une couche de 12 millimètres de sable ou de gravier au fond de celui-ci et, étant donné que le volume disponible est réduit, remplissez-le avec un mélange spécial pour cactées en pot auquel vous aurez ajouté comme élément nutritif un peu de poudre d'os (une demi-cuillerée à café par tasse du mélange). Une couche de sable granuleux sur le dessus aidera à éviter la pourriture.

Placez votre jardin japonais sur un quelconque plateau car, bien que la quantité d'eau exigée par les plantes grasses soit très inférieure à celle nécessaire aux autres plantes, vous risquez de les arroser un peu trop, surtout au début, et de l'eau pourrait se répandre par terre ou sur les meubles et les endommager. Un plat à tarte peu profond garni d'une couche de gravier peut faire un plateau très convenable et suffisamment discret pour ne pas rompre l'harmonie du décor.

Mais vous pouvez confectionner un plateau tout aussi joli, bien qu'un peu moins durable, en creusant un vieux morceau de bois blanchi par les intempéries ou une vieille poutre. Dans le Sud-Ouest des États-Unis, on vend aux touristes des jardins de cactées dans des récipients faits avec les nervures ligneuses des *Carnegiea gigantea*. Comme il est possible que vous n'en ayez pas sous la main, cherchez un matériau original sur les chantiers de démolition, ou lors de vos promenades à la campagne : vous y trouverez certainement de quoi faire un support original pour votre jardin japonais.

Il n'est pas obligatoire de tenir les plantes grasses sur le sol et, si vous manquez de place sur votre plancher mais que vous avez une fenêtre suffisamment bien exposée pour que la lumière y entre à flots, attachez des courroies de cuirs ou des cordes aux pots et accrochez-les à des pitons solidement fixés au plafond. Vous obtiendrez ainsi un jardin de verdure suspendu d'un effet spectaculaire, très différent de celui que donne la disposition habituelle. Vous pouvez également acheter des paniers en macramé si cela vous plaît, mais ne les choisissez pas trop compliqués afin qu'ils ne fassent pas oublier la plante. Les plantes grasses à branches retombantes, comme la Queue-de-rat *(Aporocactus flagelliformis)* conviennent bien aux paniers suspendus, et celles à port légèrement rampant comme *Schlumbergera bridgesii* poussent mieux lorsqu'elles sont en l'air et que les extrémités de leurs branches ne rampent pas sur une table.

Certaines autres plantes grasses à port pleureur ne peuvent être cultivées que dans des paniers suspendus. Elles comprennent les orpins *(Sedum)*, comme *Sedum morganianum,* une variété à feuilles charnues grises serrées sur les tiges rampantes ; les orpins panachés ou non *(Sedum lineare, S. lineare* « Variegatum »*)* qui poussent à ras du sol ; et peut-être le plus beau de tous, *Sedum weinbergii,* dont les tiges tordues et emmêlées toujours dirigées vers le bas sont recouvertes de rosettes semblables à celles des échevérias, d'un gris argent très pâle teinté de bleu. En dépit de sa grâce aérienne et de son apparente fragilité, cet orpin est très robuste et supporte toutes les négligences et même les mauvais traitements.

Un panier suspendu n'est en définitive qu'un pot auquel on a attaché des fils de fer, et les plantes que l'on y met doivent être rempotées exactement comme les autres. L'avantage de suspendre des plantes grasses plutôt que les plantes habituelles est qu'on a moins souvent besoin de monter sur une chaise ou une échelle pour les arroser, et qu'il n'est pas aussi souvent nécessaire de balayer en dessous des paniers. Cela ne constitue évidemment pas une raison impérative pour choisir les plantes grasses mais, si vous le faites, vous vous rendrez vite compte à votre plus grande satisfaction qu'elles vous donnent beaucoup moins de travail et vous prennent beaucoup moins de temps que vous pouviez le craindre.

Suspendez vos plantes grasses en panier près de la vitre d'une fenêtre de manière qu'elles profitent au maximum de la lumière. Presque toutes peuvent être cultivées sous l'éclairage intense d'une fenêtre au sud mais, si les vôtres sont orientées au nord, il faudra vous contenter d'une sansevière — qu'il vaut d'ailleurs mieux poser sur l'appui de la fenêtre étant donné qu'elle ne rampera jamais ; suspendue, elle risquerait plutôt d'aller gratter le plafond. Si vous avez des fenêtres orientées à l'est ou à l'ouest, vous pouvez y cultiver des épiphylles, qui ne sont pas des fanatiques du soleil et qui déborderont généreusement de leur panier. Leurs fleurs ressemblent, en beaucoup plus gros, à celles des camellias plutôt qu'à celles des orchidées, et vous avez le choix parmi quelque trois mille variétés. Les rhipsalis prospèrent également sans un ensoleillement extraordinaire, et ils embelliront vos fenêtres pendant des mois avec leurs petites fleurs qui seront suivies par une masse de baies minuscules.

Il existe d'autres plantes grasses qui prospéreront sous l'ensoleillement limité d'une exposition à l'est (soleil le matin) et à l'ouest (soleil l'après-midi seulement), même si elles ne sont pas suspendues devant les

JARDIN JAPONAIS NON INONDABLE

Pour éviter d'inonder un jardin japonais démuni de trou de drainage, enfoncez un tube de plastique de 1 à 2,5 cm de diamètre dans le sol jusqu'à la couche de drainage. Cachez-le avec une pierre. Regardez dans le tube quelques heures après l'arrosage ; il ne doit pas y avoir d'eau. S'il y en a, introduisez une mèche de coton dans le tube et mettez l'autre extrémité dans un bol placé plus bas que le récipient du jardin. L'eau s'écoulera peu à peu dans le bol. Vous pouvez procéder à la même opération plus rapidement avec une seringue.

PLANTES D'EST ET D'OUEST

fenêtres. Une des plus intéressantes est le Lobivia, dont le nom est l'anagramme de Bolivia (Bolivie), pays où il a été découvert. Ses fleurs couvrent un large éventail de couleurs délicates et se déploient de telle sorte qu'elles forment des bouquets parfaitement circulaires, ce qui le rend très original.

Il existe d'autres espèces capables de supporter, comme les Lobivias, un ensoleillement réduit : le *Leuchtenbergia principis*, qui porte des fleurs jaunes, le *Schlumbergera bridgesii*, le *Rhipsalidopsis gaertneri*, le *Schlumbergera truncata* et une variété d'euphorbe, *Euphorbia tirucalli*, aux tiges pointues couronnées à l'occasion de petites aigrettes de fleurs. Comme les autres euphorbes, elle a une sécrétion qui peut être irritante et qu'il convient d'enlever rapidement s'il s'en dépose sur votre peau. La liste des plantes grasses qui prospèrent même sous un ensoleillement limité n'est pas infinie, mais elle est suffisamment longue pour que tous les amateurs qui ne disposent pas de conditions parfaites d'éclairage y trouvent leur affaire.

UN RÉGIME POUR LA FLORAISON La plupart des plantes grasses fleuriront si elles sont placées dans les conditions adéquates de température, de lumière et d'obscurité pendant leur période de repos *(Chapitre 5)*, et si elles sont fertilisées avec de la poudre d'os une fois par mois durant leur saison active. La poudre d'os contient cinq fois plus de phosphore que d'azote, et stimule la production des fleurs plutôt que celle des feuilles. Si vous maintenez vos plantes grasses à une température de 10 à 13° C en hiver, et que vous veillez à ne les arroser que lorsque le sol devient très sec, elles vous récompenseront de vos soins diligents en fleurissant le printemps suivant.

Le *Schlumbergera bridgesii* exige une attention particulière si l'on veut qu'il donne des fleurs à l'époque des fêtes de Noël. Comme l'*Euphorbia pulcherrima*, il doit se trouver dans l'obscurité complète du crépuscule à l'aube, à partir de la fin septembre et jusqu'au début de décembre, ou lorsque les boutons se sont formés. La manière la plus courante de réaliser ces conditions est de le placer dans un placard ou dans une pièce que l'on n'éclaire jamais la nuit ; mais n'oubliez pas de lui redonner un bon éclairage dans la journée. Certains se contentent de placer une boîte renversée sur la plante ; si elle est suspendue, vous pouvez la couvrir avec un tissu opaque, un peu comme vous le feriez pour la cage d'un canari si vous désiriez que l'oiseau restât tranquille.

Maintenez la plante au sec et au frais, et ne lui mettez pas d'engrais avant la formation des boutons à fleurs. Reprenez alors un arrosage normal, mettez de petites quantités de poudre d'os chaque mois et ne la recouvrez plus la nuit. Le même traitement s'applique — à des moments différents — à d'autres plantes saisonnières. Par exemple les *Rhipsalidopsis gaertneri* doivent être mis dans l'obscurité à la fin de janvier et les *Schlumbergera truncata* à la fin du mois de juillet pour qu'ils donnent des fleurs à la fin du mois d'octobre.

Il faut souvent avoir recours à la lumière artificielle pour faire fleurir les plus grandes espèces qui, même dans une pièce très ensoleillée, sont loin de recevoir la lumière solaire intense qui les baigne dans le désert, leur habitat naturel. Afin de leur assurer l'éclairement qui leur est nécessaire pour prospérer, suspendez une lampe à incandescence spéciale de 150 watts à 60 ou 90 centimètres au-dessus de la plante. Ces lampes ont des réflecteurs incorporés et peuvent être utilisées avec des douilles normales.

SOLEIL ARTIFICIEL

Certains amateurs ne sont pas partisans de la culture des plantes grasses sous une lumière artificielle, car ils affirment qu'elles ne sont jamais aussi belles que dans des conditions naturelles ; cependant, les progrès réalisés dans les éclairages et l'expérience des pépiniéristes ont donné des résultats si encourageants que quiconque aime ces plantes n'a aucune raison de s'en priver. Nul n'est besoin d'avoir des connaissances particulières en électricité pour se servir de la lumière artificielle, en dépit de l'abondance des systèmes proposés sous des noms extrêmement techniques. La Couronne-d'épines *(Euphorbia milii),* par exemple, produit ses fleurs couleur saumon sous la simple lumière d'une installation de tubes fluorescents ordinaires de 40 watts suspendus à une quinzaine de centimètres au dessus de la plante et qui lui fournissent tout l'éclairage qui lui est nécessaire. Cette euphorbe n'a même pas besoin des périodes d'obscurité totale qui sont indispensables à *Schlumbergera bridgesii*, et vous pouvez donc la garder dans votre salle de séjour où elle fleurira normalement.

En doublant le nombre des tubes, vous accroîtrez cependant de manière considérable les possibilités de floraison des plantes grasses. Quatre tubes fluorescents de 40 watts suspendus à 15 centimètres au-dessus de certaines variétés de *Kalanchoe tomentosa* suffisent à provoquer la floraison ; cette dernière a lieu dix mois après la germination de la graine à condition que la plante ait bénéficié pendant un mois d'un éclairage de dix heures par jour, deux mois avant l'époque de cette floraison. Après celle-ci, la plante peut être ramenée progressivement à un éclairage de 6 heures par jour. D'autres plantes, parmi lesquelles *Crassula argentea* et le *Chamaecereus silvestrii,* prospéreront sous la lumière artificielle, sans toutefois fleurir. Mais de voir pousser dans de telles conditions des plantes de pays exotiques est déjà un résultat fort appréciable.

Un coin de désert chez vous

Forgées par un désert dont elles contribuent à leur tour à créer l'image, plantes grasses et cactées évoquent à ce point les vastes espaces que, si on les dispose convenablement dans un jardin intérieur, fût-il minuscule, elles font irrésistiblement penser aux saguaros et aux échinocactus géants. Seule la place disponible limite les formes que l'on peut donner à ces plantations de cactées et dont un grand nombre acceptent volontiers d'être cultivées à l'intérieur. Et, avec un peu de goût, leur emplacement et la pièce même où elles se trouvent peut rappeler les couleurs, les formes et les textures du désert.

Comme leur croissance est lente, un paysage de désert ainsi recréé en appartement peut durer de nombreuses années. Pourvues d'un sol à drainage rapide, bénéficiant de l'air sec que l'on trouve dans toutes les demeures à chauffage central, certaines espèces atteindront même la taille qu'elles ont dans la nature et fleuriront tout aussi abondamment. Ce qui est très important pour les amateurs, plusieurs ont des exigences identiques et s'en occuper devient facile.

Quand la question de place est primordiale, un jardin japonais *(ci-contre et pages 46-47)* peut recréer un paysage de désert saisissant à échelle réduite. Il existe de nombreuses espèces à croissance lente, idéales pour ce genre de plantation car elles n'ont besoin d'être rempotées dans des récipients plus grands que tous les deux ou trois ans.

Et, comme l'explique un amateur enthousiaste, on peut «pour une faible dépense, créer dans un jardin japonais exactement le même décor qui coûterait une fortune dans un grand jardin».

A une échelle un peu plus importante, les amateurs peuvent également garnir tout un appui de fenêtre de plantes grasses; dans la plantation de la page 32, l'espace entre les plantes est recouvert de cailloux qui rappellent le paysage du désert et font paraître beaucoup plus grand qu'il n'est en réalité ce jardin de un mètre sur deux. Un effet semblable d'élargissement de l'espace peut être obtenu dans un appartement moderne avec quelques pots de plantes grasses ressemblant à de gros rochers *(pages 48-49)*. Les jardiniers d'intérieur plus ambitieux peuvent compléter le tableau avec des matériaux provenant réellement de régions désertiques, et faire d'une pièce un véritable jardin de plantes grasses et de cactées comme celles que l'on voit dans la remarquable serre représentée aux pages 50-51.

A l'abri de la neige qui tombe, une Crassule perforée (Crassula perforata) *domine une douzaine d'autres plantes grasses dans un jardin japonais d'une trentaine de centimètres.*

Paysages miniatures

Réaliser un jardin japonais de cactées et de plantes grasses, c'est un peu monter une maison de poupée ; en réunissant des plantes qui ont les mêmes besoins et s'harmonisent comme les espèces plus grandes le font dans la nature, l'amateur crée une image miniature du désert. Les seuls outils nécessaires sont ceux qu'un amateur a découverts le jour où il a échangé sa bêche pour une cuillère et son arrosoir pour un compte-gouttes.

Ce jardin miniature de rocaille dominé par un grand Aeonium pourpre entouré d'échevérias prospère depuis deux ans dans une soucoupe d'argile. Le mélange est composé de compost pour plantes en pots, de sable granuleux et de vermiculite.

Ces jardins minuscules ne sont arrosés que tous les quinze jours pour limiter la croissance. Le plus grand, couronné par un Cierge du Pérou (Cereus peruvianus), a six ans. Les petites plantes ne seront remportées que dans un an.

Dominant de ses 18 cm de hauteur des plantes de 2 et 5 cm seulement, un oponce crée l'illusion d'un paysage de désert.

Couleurs du désert

Les plantes grasses et les cactées qui dressent leurs silhouettes sculpturales dans les paysages désertiques s'adaptent fort bien à des intérieurs modernes où l'harmonie des teintes et des formes leur donne un cadre presque naturel. Des bruns et des gris comme délavés par le soleil sur les murs, le sol et les meubles, et des formes simples pour les coussins et le mobilier feront que ces grandes plantes, hôtes habituels du désert, ne paraissent pas déplacées dans un appartement.

Grâce aux coussins qui font penser à des rochers, à la forme de leurs bacs et aux couleurs neutres, ces grandes euphorbes et les autres plantes grasses font de cette pièce un jardin intérieur aussi agréable pour les gens que pour les plantes. Ces spécimens ont besoin de beaucoup de lumière pour prospérer.

Un désert et des plantes à domicile

Le fin du fin pour les amateurs de cactées et de plantes grasses est sans doute de reproduire dans une pièce bien éclairée par le soleil un paysage désertique avec ses dunes, ses sentiers et ses plantes en un véritable décor de cinéma. Et si vous pouvez recréer l'atmosphère d'une serre, rien ne vous empêche de vous offrir un vrai petit désert chez vous, quelle que soit la région où vous vivez. Ce qui prime, bien entendu, c'est de respecter la nature du sol et les conditions climatiques du milieu naturel de ces plantes.

Cet extraordinaire jardin intérieur de cactées et de plantes grasses de Long Island (États Unis) abrite quelque 2 000 espèces sur une surface de 10 mètres sur 15 recouverte de sol sablonneux. Sous l'immense verrière, les plantes non seulement poussent avec vigueur mais elles procurent au jardinier une satisfaction renouvelée par le fait qu'elles fleurissent régulièrement.

Un jardin exotique pour tout climat

3

Les plantes grasses apportent aux jardins de plein air toutes les qualités qu'elles possèdent en intérieur : des fleurs éclatantes ou un feuillage extraordinaire (parfois les deux) qui ne nécessitent pas de soins particuliers. En effet, certaines de ces plantes étranges mais belles supportent des températures bien inférieures à 0° C — ce qui permet de les cultiver presque partout.

De nombreuses espèces de cactées ne peuvent survivre hors de leurs déserts d'origine parce qu'elles ne supportent pas l'humidité, mais il en est beaucoup d'autres qui prospèrent même dans un milieu humide et donnent en outre des fleurs tout aussi belles que celles de leurs parentes des régions arides.

Une cactée à floraison abondante qui prospère malgré un taux d'humidité élevé est la Reine-de-la-nuit *(Selenicereus grandiflorus)* ; elle porte de grandes fleurs blanches qui s'épanouissent la nuit, et forme souvent d'importantes colonies rampant sur le sol ou montant à l'assaut des murs et des clôtures. Autre cactée des climats chauds, l'Harrisia odorante produit de grandes fleurs qui, comme son nom l'indique, sont délicatement parfumées et donnent des fruits orange qui ressemblent quelque peu aux platyopuntias.

De nombreux jardiniers des régions subtropicales chantent les louanges du Cotyle ondulé *(Cotyledon undulata),* arbuste d'environ 90 cm de hauteur qui a des feuilles blanches ondulées, et de *Aeonium arboreum* var. *atropurpureum,* plante grasse à peu près de la même hauteur à feuilles noires. Et la Crassule perforée *(Crassula perforata),* dont les feuilles appariées semblent imbriquées les unes dans les autres, formera rapidement un épais tapis de végétation dans le jardin.

Dans les régions chaudes et pluvieuses, il est essentiel pour cultiver des plantes grasses de disposer d'un sol qui se draine rapidement et où l'eau ne puisse pas rester autour des racines qui redoutent l'humidité. Si c'est possible, choisissez un terrain en pente, mais, si besoin est, vous pouvez fort bien réaliser un bon drainage en créant une pente artificielle. Commencez par creuser le sol à une profondeur d'au moins 15 centimètres et remplissez cette excavation de pierres, de morceaux de

La masse bleu-vert de ces échevérias en train de se déployer fait une composition digne d'un impressionniste. Leurs feuilles, semblables à des fleurs, prennent tout leur éclat sous un soleil ardent.

briques et de moellons. Si vous utilisez plusieurs matériaux, mettez les débris de briques ou de moellons au fond et les pierres dessus, de façon à en laisser émerger quelques-unes. Des pierres calcaires conviennent particulièrement à ce genre d'amendement parce qu'elles maintiendront un certain taux d'alcalinité dans le sol, condition que préfèrent les cactées habituées aux terrains alcalins des régions arides d'où elles sont originaires. Finalement, formez un tumulus sur cette assise avec un mélange composé d'un quart de terre, de deux quarts de sable et d'un quart d'humus ou de terreau de feuilles *(page 55)*. Les plantes grasses poussant dans des régions pluvieuses auront besoin d'un sol plus riche que celles des régions arides, aussi ajoutez pour elles une demi-tasse de poudre d'os par seau du mélange qui reste le même dans les deux cas. N'arrosez qu'en période de sécheresse.

CACTÉES DES PAYS FROIDS   Les jardiniers des régions plus froides n'essayent généralement pas de planter des cactées en plein air. Peut-être certains pensent-ils qu'une plantation de ce genre dans un jardin classique du Nord de l'Europe paraîtrait parfaitement incongrue. Plus vraisemblablement, bien peu savent qu'il existe des cactées assez résistantes pour ces climats frais — tout simplement parce qu'on n'en voit guère. Mais il suffit d'aller dans un jardin botanique, et même dans des jardins publics, pour découvrir des plantes grasses que l'on a sorties pour l'été. Et l'on peut aussi trouver quelques types résistants qui supportent de passer l'hiver dehors.

A la vérité, il n'existe pas une très grande variété de ces plantes grasses et cactées résistantes, mais il y en a certainement assez pour que vous ayez envie d'essayer d'en faire pousser. On compte par exemple au moins une douzaine d'espèces résistantes d'oponces allant de la taille d'un brin d'herbe à celle d'un arbre de taille moyenne, beaucoup d'espèces d'orpins pouvant faire un tapis de végétation, un grand nombre de joubarbes et plusieurs échinocactées produisant des fleurs superbes.

LE DANGER D'INONDATION   Pour cultiver des plantes grasses, il est plus important de disposer d'un sol à drainage rapide dans les régions du Nord que dans le Sud de l'Europe; en effet, la combinaison du froid et de l'humidité détruit les racines de toutes les cactées et de nombreuses autres plantes. Pour leur assurer le meilleur drainage possible, préparez une planche comme indiqué page 55, en ajoutant une part supplémentaire de gravier au mélange pour que le drainage soit encore plus rapide. Il faudra également munir les cactées cultivées à l'extérieur dans le Nord d'un paillis de cailloux aussi décoratifs qu'utiles, car ils réfléchissent sur les plantes la chaleur du soleil et contribuent à maintenir leur base au sec. Dans les régions pluvieuses, un panneau vitré monté sur pieds protégera les plantes de la pluie pendant la saison hivernale, époque où elles ont le plus besoin d'être au sec.

Si vous n'avez pas la pratique de la culture des cactées en extérieur, ne vous inquiétez pas de les voir se recroqueviller à l'approche de l'hiver. Certaines s'affaissent même complètement et semblent mortes

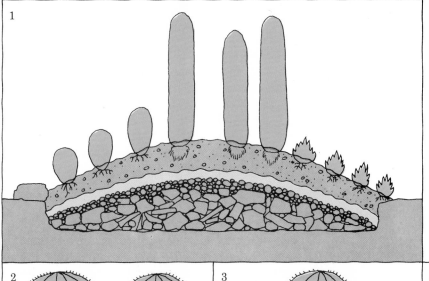

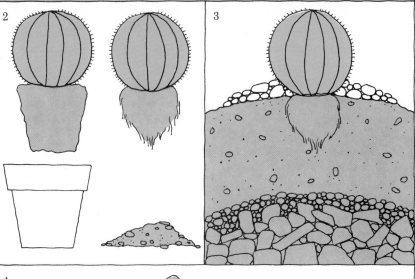

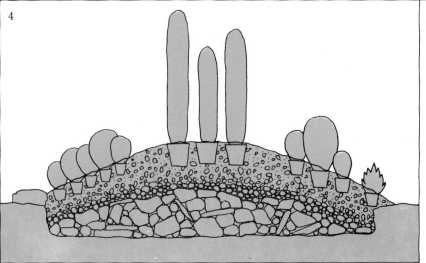

UN SOL BIEN DRAINÉ

1. *Pour une plantation de cactées en pleine terre, creusez à une profondeur d'au moins 15 cm un emplacement ensoleillé et montez-y une assise de 30 cm de pierres ou de briques cassées à pentes inclinées pour un bon drainage. Remplissez les interstices et recouvrez l'assise de 5 à 7,5 cm de gravier. Ajoutez une couche de 2,5 cm de gros sable ; terminez par 15 à 20 cm d'un mélange d'un quart de terre, un quart de terreau de feuilles et de moitié de sable plus un peu de gravier.*

2. *Dépotez la plus grosse plante que vous allez mettre en terre. Enlevez autant de terre que possible de ses racines sans les endommager.*

3. *Creusez un trou et mettez-y la plante à la profondeur où elle se trouvait dans son pot. Tassez le sol et entourez la plante d'une couronne de cailloux pour réfléchir le soleil et éviter la pourriture. Plantez les autres spécimens en partant du milieu de la planche et en allant vers le fond ; laissez beaucoup d'espace entre eux pour que l'air circule bien. La plantation terminée, humidifiez le sol. N'arrosez plus avant une semaine.*

4. *Si l'hiver est trop froid pour que les plantes que vous avez réunies y survivent, construisez une assise en débris de moellons et couvrez-la d'un mélange moitié sable-moitié gravier. Quand la saison chaude s'annonce, au printemps, enfoncez les plantes en pots jusqu'au bord de ceux-ci dans le mélange, après leur avoir fait passer une semaine à l'ombre légère et une semaine au soleil pendant la moitié de chaque jour pour les accoutumer. Toute plante cultivée à la lumière d'une fenêtre orientée au sud doit être plantée de façon que le côté qui était face au sud à l'intérieur le soit aussi à l'extérieur.*

jusqu'à ce qu'arrive le printemps. Ce phénomène vient de ce que la plante réduit la proportion d'eau qu'elle contient pour se protéger contre le gel. Ne vous affolez pas non plus si une mince couche de neige vient recouvrir vos cactées : elle les protège en fait. Ce n'est qu'au cas où une accumulation importante de neige menacerait de briser les plantes qu'il conviendrait d'intervenir pour les en débarrasser.

Bien que les plantes grasses soient visiblement en repos en hiver, l'apparence du jardin qui leur est consacré est certainement moins navrante que celle d'un jardin de fleurs ou de légumes une fois l'été passé. Car les cactées et les autres sont en parfaite harmonie avec les arbres et les arbustes qui se sont repliés sur eux-mêmes pour attendre la reprise de la végétation qu'amènera le printemps suivant.

UN ÉTÉ EN PLEIN AIR Si vous ne désirez pas soumettre vos cactées, même résistantes, aux aléas de l'hiver, ou si vous voulez tout simplement en profiter chez vous pendant la saison froide comme plantes en pot, vous pouvez fort bien ne les sortir qu'au moment où la température radoucie leur assurera les meilleures conditions de croissance. Mais il faut accoutumer progressivement les plantes cultivées à l'intérieur à l'ensoleillement intense de l'extérieur, en les maintenant la première semaine sous une ombre légère, en ne les exposant au soleil que la moitié de la journée pendant la deuxième semaine, après quoi elles ne risquent plus rien. Si vous ne sortez que quelques plantes, creusez dans la terre des trous plus grands que leurs pots, mettez-y du gravier et enfoncez-y les pots jusqu'au bord. Disposez-les de la même manière qu'à l'intérieur, c'est-à-dire en mettant les spécimens les plus grands au fond et les plus petits devant, de façon que tous soient visibles de chez vous et que vous puissiez en profiter.

Pour donner l'illusion d'une plantation permanente, vous pouvez garnir de gravier les espaces entre les pots en y ajoutant quelques grosses pierres pour rappeler l'environnement habituel des cactées du désert. Choisissez pour cette plantation provisoire un endroit du jardin que le soleil baigne au moins la moitié de la journée et dont le drainage soit bon. Un coin où pousse un maigre gazon convient parfaitement à ce genre de plantation, ainsi que les bords des allées ou des sentiers. Si vos plantes sont dans de jolis pots et que vous préfériez ne pas les enterrer, rien ne vous empêche de les arranger de manière à en faire une composition agréable à l'œil exactement comme vous procédez à l'intérieur. Certains jardiniers laissent même leurs cactées dehors toute l'année dans des pots remplis de gravier et simplement posés sur le sol. Une des cactées qui répond le mieux à ce mode de culture est l'*Opuntia ericacea* de Californie qui est très épineux et produit d'énormes fleurs de 10 centimètres de diamètre. On peut le laisser dehors en toute sérénité à longueur d'année.

Vous pouvez également réaliser un modeste jardin d'hiver de cactées sans courir aucun risque ; il vous suffit pour cela de mettre vos plantes en pots dans un bac à fleurs ou dans un autre récipient en bois que rocaille une fois celui-ci bien préparé. Parmi les orpins les plus décoratifs

vous installerez contre un mur abrité mais ensoleillé de la maison. Le récipient en question devra avoir de nombreux trous de drainage, et les espaces entre les pots devront être remplis d'un mélange en parts égales de sable et de gravier.

Il n'est pas absolument indispensable que les récipients soient en bois. Un bac en plastique peut également faire l'affaire, à condition qu'il soit muni de nombreux trous de drainage ; une solide caisse ordinaire en bois convient également. Les vieilles auges en pierre constituent un récipient parfait et esthétique, mais elles se font de plus en plus rares. Cependant, on en fabrique maintenant en tuf, pierre calcaire dont l'alcalinité a une influence bénéfique sur le sol et qui ont un aspect rugueux s'harmonisant parfaitement aux plantes.

Dans un genre proche du récipient de pierre, on trouve aussi le jardin de rocaille où de nombreux jardiniers, même s'ils ne ressentaient aucun intérêt particulier pour les plantes grasses, ont au moins cultivé un plant de joubarbe sans savoir qu'il existait de nombreux autres genres, et en particulier plusieurs fort beaux types d'orpins. Ceux-ci sont non seulement aussi faciles à faire pousser que les joubarbes, mais ils possèdent en outre des fleurs et un feuillage dont les couleurs peuvent être extrêmement variées.

Toutes les plantes grasses résistantes prospèrent dans un jardin de rocaille bien drainé. S'il existe sur votre terrain un endroit en pente parsemé de cailloux et où vous n'avez jamais pu rien faire pousser, cela constitue un excellent point de départ. Un de mes amis, qui a fait construire sa maison au flanc d'une colline rocheuse sur un emplacement que ses voisins estimaient convenir surtout à des chèvres, suscite maintenant l'envie de tous parce qu'il jouit d'une merveilleuse vue — et qu'il n'a pas de pelouse à tondre.

Si vous n'avez pas sa chance, choisissez un endroit où votre jardin de rocaille s'harmonisera à la topographie du terrain. Autant que possible, ne lui donnez pas une forme trop rigide : il faut que ses limites paraissent parfaitement naturelles, comme si elles avaient existé depuis toujours ; c'est ainsi qu'il pourra le mieux se fondre dans le paysage.

Creusez cet emplacement à une profondeur d'une quinzaine de centimètres, et placez-y des morceaux de moellons, de pierres, de briques cassées et autres matériaux du même genre pour reconstituer en miniature un paysage de montagne. Répandez un peu de gravier dans les interstices et recouvrez le tout d'une couche d'un mélange fait d'un quart de terre superficielle, d'un quart d'humus ou de terreau de feuilles et de moitié de sable. La hauteur du mélange à étaler dépend de la configuration du jardin, mais l'apport doit être fait progressivement, soigneusement, en tassant bien les couches successives (en particulier près des bords) et en arrosant légèrement de temps à autre. Laissez reposer le sol pendant une semaine environ avant de faire les plantations.

Si vous habitez des régions plus froides et plus humides, ou le Nord de l'Europe, vous avez le choix entre une douzaine d'espèces résistantes de joubarbes et d'orpins qui s'adapteront très bien à votre jardin de

UNE RÉPUTATION USURPÉE
Bien que l'aptitude de l'échinocactus à emmagasiner de l'eau pour de longues périodes en fasse un sujet de choix pour les jardiniers négligents sur l'arrosage, il ne mérite pas sa réputation de réservoir d'eau pure et potable. En le coupant au sommet, on s'aperçoit qu'il n'est pas rempli d'eau, mais d'une pulpe qui retient l'humidité comme une éponge. Si on la presse, il en sort un liquide épais et amer. Toutefois, si on découpe la pulpe en cubes et qu'on la fait bouillir dans du sirop de sucre, elle fait un agréable dessert qui a un peu le goût de la confiture de melon d'eau, d'où le surnom de cactus-bonbon que l'on donne parfois à cette plante.

figurent notamment le *Sedum sexangulare*, dont les feuilles persistantes prennent une belle teinte cuivrée en hiver, et le *Sedum spectabile*, espèce à grandes fleurs roses qui perd ses feuilles à la saison froide. Si vous habitez une région chaude, vos possibilités de choix sont naturellement plus vastes et vous pouvez planter des espèces beaucoup plus fragiles, comme le *Sedum oaxacanum* rampant du Mexique aux fleurs jaunes.

Les jardins de rocaille ne sont pas exclusivement réservés aux plantes grasses ; celles-ci peuvent faire bon ménage avec d'autres plantes ayant les mêmes exigences en matière de sol et de climat. Les tulipes et autres plantes à bulbe s'accommodent fort bien de leur présence et égayent le jardin de leurs fleurs ; le thym (au nord) et la marjolaine (dans les régions à climat plus doux) peuvent y constituer un appoint décoratif et odorant, ainsi qu'une agréable réserve d'herbes aromatiques.

UN RÉCIPIENT LÉGER POUR PLANTES

1. *Pour faire un récipient léger ayant l'air creusé dans la pierre pour des plantes grasses en extérieur, renversez un ou deux pots de fleurs dans une boîte peu profonde et entourez-les de sable humide pour former un monticule aplati. Tendez une feuille de plastique sur le sable. Découpez un morceau de grillage fin à la forme du monticule et mettez-le de côté. Mélangez 3/8ᵉ de tourbe sèche, 3/8ᵉ de perlite ou de vermiculite et 2/8ᵉ de ciment ; ajoutez progressivement de l'eau jusqu'à ce que la mixture ait une consistance pâteuse. Étalez-en alors une couche de 2,5 cm d'épaisseur sur le monticule, puis enfoncez-y le grillage destiné à renforcer le tout.*

2. *Couvrez le grillage d'une autre couche de 2,5 cm en tirant bien pour éliminer les poches d'air. Enfoncez trois ou quatre chevilles en bois de 2 cm (en haut) pour le drainage.*

3. *Laissez sécher vingt-quatre heures puis brossez la surface avec une brosse dure pour lui donner un aspect rugueux. Enlevez les chevilles. Attendez encore vingt-quatre heures et retournez le récipient. Remplissez-le d'eau, laissez-le s'en imbiber puis videz-le. Répétez l'opération pendant plusieurs semaines.*

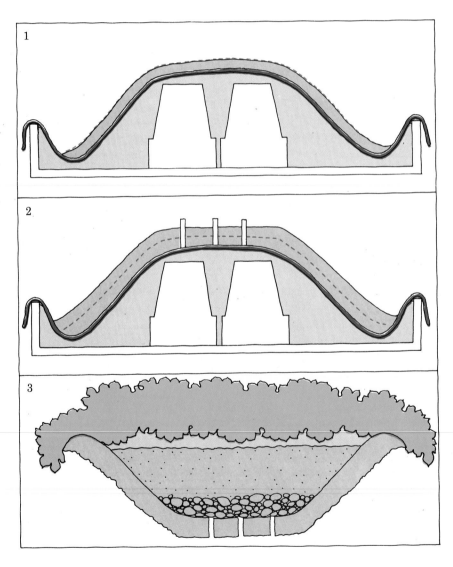

Les arrosages, dans ces plantations mixtes, doivent être un peu plus fréquents que si vous n'aviez que des plantes grasses — à peu près hebdomadaires pendant les mois d'été. N'abusez pas de l'engrais : la plupart des plantes alpines n'en ont pas besoin et, chez certaines espèces, il ralentit la croissance des feuilles. Mais une poignée de poudre d'os par mètre carré épandue de temps à autre, du début du printemps à la fin de l'été, stimulera la pousse des fleurs.

Les plantes grasses cultivées en plein air sont rarement malades ; cependant, si elles viennent à être envahies par les insectes, traitez-les comme indiqué pour les plantes d'intérieur *(page 37).* Une affection à peu près inévitable dans les régions arides, mais que l'on peut également rencontrer ailleurs, est le jaunissement anormal des plantes dû au manque de fer. On attribue cette maladie à toutes sortes de causes, depuis un drainage insuffisant jusqu'à un excès de calcaire dans le sol, mais, étant donné qu'elle cède à des applications de sulfate ou de chélate de fer, elle ne constitue pas un problème trop grave si on commence le traitement dès les premières atteintes du mal. Appliquez l'amendement ferreux sous sa forme liquide diluée une fois par an, à chaque printemps.

UN RÉGIME A BASE DE FER

A l'inverse des jardiniers de la plus grande partie de l'Europe qui doivent, dans une certaine mesure, restructurer leurs sols et sélectionner soigneusement les plantes grasses qu'ils veulent y faire pousser, ceux des régions méditerranéennes bénéficient de conditions climatiques et de terrains qui leur donnent l'embarras du choix pour leurs cultures. Le jardin idéal est celui où l'on a concentré et encore amélioré tout ce que l'on peut trouver de mieux dans la région ; c'est bien sûr vrai également pour le jardin de plantes du désert qui, dans sa forme la plus parfaite, doit apparaître comme un prolongement de la nature qui l'entoure. Si vous ne disposez que de l'emplacement assez réduit qui caractérise généralement les demeures de banlieue, il existe plusieurs espèces que vous pouvez cultiver sans pour autant leur sacrifier le potager ou la pelouse ; par exemple, l'*Opuntia vulgaris* « Variegata », dont les raquettes sont striées de rose et de blanc et qui demande peu d'espace pour fleurir ; ou encore l'*Opuntia basilaris,* à forme buissonnante, qui produit des fleurs pourpres en quantité abondante. L'*Echinocactus grusonii,* vert mais couvert d'épines dorées, constitue également un excellent choix car il met très longtemps à atteindre sa hauteur de 90 centimètres et porte au printemps de magnifiques fleurs d'un beau jaune sitôt qu'il parvient à sa pleine maturité.

Deux espèces de ficoïdes, le Figuier des Hottentots *(Carpobrotus edulis)* et le *Mesembryanthemum hispidum,* font d'excellents tapis de végétation dans les régions sèches. Tous deux sont parmi les espèces les plus faciles à se procurer de ce groupe important et utile. Ce sont des plantes vivaces qui se cultivent facilement et n'exigent que très peu d'eau, même quand il fait très chaud. Elles portent en outre presque tout au long de l'année des fleurs qui ne manquent pas d'attrait.

TAPIS DE VÉGÉTATION

Tapis de végétation pour pays froids

Les plantes grasses alpines comme les orpins ou les joubarbes, généralement accrochées entre 1 200 et 1 500 m aux flancs rocheux des montagnes, peuvent faire de magnifiques tapis de végétation dans les jardins froids et humides des pays nordiques. Prospérant facilement sur la plupart des sols bien drainés, elles supportent sans difficulté des températures allant de moins de zéro à plus de 38°C.

Joubarbes et orpins recouvrent une plate-bande d'un jardin de l'Oregon ainsi que le toit d'une grange. En Europe, la joubarbe sur les toits était censée éloigner la foudre et le diable : ici, le jardinier a juste jeté sur la grange des plants qui se sont enracinés dans la mousse.

Rien ne vous oblige à ne cultiver dans votre « jardin de désert » que des cactées ou autres plantes grasses : un *Yucca gloriosa,* par exemple, qui résiste fort bien à la sécheresse quoiqu'il n'appartienne pas à la catégorie des plantes grasses, peut en constituer un de ses plus beaux ornements. Il a une croissance lente mais atteint néanmoins environ trois mètres de hauteur ; il porte de grandes et belles fleurs blanches. Si vous ne disposez pas de suffisamment de place, il existe plusieurs espèces de yuccas nettement plus petites et dotées de feuilles plus tendres ou moins pointues.

Si vous avez la chance extraordinaire de posséder un jardin de vastes proportions, rien ne vous empêche d'y mettre de ces cactées qui peuvent atteindre des dimensions phénoménales comme le *Stenocerus thurberi* ou le saguaro *(Carnegiea gigantea) ;* placez-les en sujets isolés au milieu d'un bouquet de plantes plus petites. Si vous ne disposez pas d'un espace illimité, vous pouvez remplacer ces géantes par des plantes semi-grasses des régions sèches, par exemple les *Nolina* qui ont un tronc épais et massif et des feuilles retombantes, mais ne dépassent pas trois mètres de haut. *Nolina recurvata,* en particulier, peut faire penser avec un peu d'imagination à une dame en robe à paniers tenant un plumeau dans chacune de ses nombreuses mains.

PLANTATIONS A L'EXTÉRIEUR

Pour mettre des plantes grasses en pleine terre, creusez des trous légèrement plus grands que leurs conteneurs, et de la même profondeur ; mettez autour des mottes des conteneurs un mélange que vous tasserez soigneusement ; arrosez juste pour l'humidifier. Attendez pour arroser plus abondamment que les plantes soient bien établies, c'est-à-dire environ un mois dans le cas des cactées. Après cela, un arrosage hebdomadaire devrait suffire, même en été. Les autres plantes grasses peuvent être arrosées plusieurs fois par semaine quand il fait très chaud, et cela à peu près une semaine après avoir été plantées. Pour éviter une décoloration ou des taches, répandez toujours l'eau sur le sol, jamais sur la plante ; mais vous pouvez de temps en temps (pas plus d'une fois par mois) pulvériser de l'eau sur la plante elle-même pour enlever la poussière et les insectes. N'arrosez jamais ni ne pulvérisez pendant les moments les plus chauds ou les plus ensoleillés de la journée.

La meilleure époque pour effectuer les plantations dans ce genre de jardin est le printemps quand, comme partout ailleurs dans le monde, la reprise de la végétation incite les plantes grasses à faire de leur mieux pour s'acclimater à leur nouvelle demeure, et avant que la chaleur débilitante de l'été ne vienne les affaiblir. Si, pour une raison ou une autre, vous ne pouvez le faire au printemps, attendez le début de l'automne pour planter : la température est alors plus fraîche et les plantes ont le temps de se rétablir avant la période de repos.

EMPLOI DE L'ENGRAIS

Si vous voulez que les plantes de votre jardin aient la floraison la plus abondante possible, il faut les y aider par l'application mensuelle d'un engrais riche en phosphore (et à un degré moindre en potasse et en azote), comme un 15-31-15, du mois d'avril au mois de septembre. Une règle pratique est d'utiliser une cuillerée à soupe de fertilisant par 4,5 litres de l'eau répandue généreusement au pied de chaque plante, à moins que des indications plus précises ne figurent sur l'emballage du fertilisant. Supprimez tout engrais et réduisez de manière draconienne l'arrosage en hiver de façon à permettre aux plantes de se reposer. La seule raison d'arroser en hiver est d'éviter que les racines ne meurent avant la reprise de la végétation.

Certaines plantes grasses, comme les échevérias et les Aeoniums, demandent également à être taillées. Et, pour de nombreuses espèces, c'est une opération vitale qui n'a rien à voir avec le désir de garder un jardin net et bien ordonné. Par exemple, *Aenium tabulæforme,* espèce sans tiges, produit une très belle rosette unique de 45 centimètres de diamètre ; quand elle a atteint sa taille maximale, à maturité, le centre forme un imposant épi de fleurs jaunes, puis la plante meurt. En enlevant les boutons, et donc en empêchant la floraison, on retarde sa mort. Fort heureusement, des boutures de feuilles prélevées sur les jeunes plantes prennent très facilement, et l'on peut donc laisser fleurir les plantes adultes qui seront remplacées bientôt par celles nées des boutures.

Dans la culture des plantes grasses résistantes, on rencontre le même problème avec la joubarbe qui, elle aussi, meurt après avoir fleuri. Mais, comme on peut aisément la reproduire par ses rejetons — tout comme les types ramifiés d'échevérias et d'Aeoniums — rien n'empêche d'avoir plusieurs exemplaires de ces plantes.

LES MAUVAISES HERBES

Les jardins de plantes grasses, tout comme les autres, peuvent parfois être envahis par les mauvaises herbes et, bien que celles-ci ne parviennent pas toujours à étouffer toute autre végétation, elles n'en ralentissent pas moins considérablement la croissance des plantes et gâchent, en outre, toute la beauté du jardin. L'enlèvement de ces mauvaises herbes est une tâche que l'on doit effectuer tout au long de l'année, mais en particulier en été, c'est-à-dire à l'époque où la chaleur et l'humidité assurent les meilleures conditions de prolifération.

Si vous habitez une région sèche, les mauvaises herbes ne constituent qu'un rappel des soins à assurer à ce jardin de plantes grasses que vous avez créé avec amour pour qu'il ne retourne pas à l'état totalement sauvage. Si vous vous trouvez dans une région froide ou humide, votre problème sera exactement inverse : toute votre énergie devra être consacrée à assurer la bonne santé et la survie des espèces que vous avez soigneusement choisies car, en dépit de leur résistance, certaines ne s'adaptent qu'avec les plus grandes difficultés aux conditions qui leur sont imposées. Cependant, quel que soit votre cas, le plaisir que vous aurez à relever ce défi et à réussir vous paiera largement de la peine que vous prendrez.

Des plantes grasses pour l'Europe

Il n'y a rien de vraiment étonnant à ce que l'on puisse cultiver plantes grasses et cactées à l'intérieur, mais on est quelquefois stupéfait d'apprendre que plusieurs d'entre elles résistent à l'extérieur dans presque toute l'Europe. Et le fait est que de nombreuses espèces poussent non seulement dans la région méditerranéenne chaude, mais également dans des zones plus froides — et certaines supportent même la neige.

A la vérité, il n'est pas si simple de créer un jardin de cactées et de plantes grasses ailleurs que sous leur climat d'origine. Cela implique une sélection rigoureuse des plantes, une préparation soigneuse du sol et un choix attentif de l'emplacement du jardin. Trois des plus remarquables jardins publics de plantes grasses d'Europe — représentés ci-contre et dans les pages suivantes — illustrent les principes essentiels permettant de réussir ce genre de culture. Chacun contient des centaines d'espèces qui vivent depuis des années en dehors de leur habitat naturel et s'en trouvent fort bien.

Les plantes grasses pourrissant dans un sol humide, l'abondance des pluies représentait un inconvénient sérieux pour les créateurs de tous ces jardins. Au village d'Èze, sur la Côte-d'Azur *(ci-contre et pages 65-67)*, et au Jardin Exotique de Monaco *(pages 68-69)*, on a résolu le problème en faisant les plantations sur des terrains en pente raide sur lesquels la pluie s'évacue rapidement. Dans le Nord, les créateurs des jardins de l'abbaye de Tresco *(pages 70-71)* — île battue par les vents située au large de la Cornouailles — ont pallié la difficulté en employant une terre très sablonneuse que l'eau traverse rapidement sans pouvoir s'accumuler autour des racines fragiles.

En ce qui concerne le choix des espèces pour ces jardins, leurs créateurs se sont naturellement tournés vers les plantes grasses connues pour leur indifférence aux fortes variations climatiques tels les orpins et les joubarbes, très résistantes, ou les Figuiers de Barbarie et les échinocactées qui le sont un peu moins. Mais ils ont également sélectionné des espèces qui ne prospèrent, en principe, qu'en climat subtropical, en tenant compte du fait qu'un emplacement judicieusement choisi pouvait fournir les conditions nécessaires à leur survie. Par exemple, dans le jardin d'Èze, qui, créé en 1950, est le plus récent des trois, on a mis les plantes grasses au milieu de rochers qui emmagasinent la chaleur et le long de murs de pierre : de quoi donner des idées aux amateurs.

La Côte-d'Azur constitue une merveilleuse toile de fond pour le splendide jardin d'Èze.

A Èze, un Carnegiea gigantea *(premier plan, à droite) prospère à côté d'autres espèces en colonne et d'un Ferocactus doré.*

Éclosion au cours d'un printemps méditerranéen de fleurs tubulaires écarlates sur un Cleistocactus nivosus *de Bolivie.*

Plantes du désert en région méditerranéenne

Situé sur une falaise bien drainée au-dessus de Monaco, le Jardin Exotique est, avec ses trois mille espèces de plantes grasses, le mieux fourni de toute l'Europe. Créé vers la fin du siècle dernier dans un coin de la vieille ville, il eut tant de succès que le prince Albert Iᵉʳ le fit transférer sur l'emplacement qu'il occupe actuellement, plus vaste.

Une Euphorbe des Canaries ramifiée et des Trichocereus dominent une Crassule à port buissonnant (premier plan, au centre).

L'abondance de ses épines montre que
cet Opuntia prolifera *de Californie*
(ci-dessous) est bien adapté à Monaco.

Les contours des feuilles charnues de
l'Agave de la reine Victoria *(ci-dessous)*
sont soulignées par des lignes blanches.

Férocactus doré sur un tapis de Séneçons
bleus et de Graptopetalum paraguayense
en forme de rosette.

Un jardin enchanté dans les Sorlingues

Les jardins de l'Abbaye, à Tresco, l'une des îles Sorlingues, regorgent de plantes grasses dont certaines remontent aux années 1830, époque de leur création par le gouverneur local sur l'emplacement d'un ancien prieuré bénédictin. Le vent chargé d'embruns est leur principal ennemi en dépit de la protection de rideaux de pins et de cyprès.

Aeonium arboreum *et Puyas à feuilles épineuses (arrière-plan, au centre) croissent parmi des plantes ordinaires à Tresco.*

En général plante de serre en Europe, un
Aeonium holochrysum *prospère dans un*
climat réchauffé par le Gulf Stream.

Éclosion durant l'été de Tresco de fleurs
d'un lampranthus, qui sont tout à fait
semblables à des marguerites.

Éclosion au début de l'été, à des milliers
de kilomètres de leur Afrique natale, des
fleurs rouges d'un aloès.

Reproduction des plantes grasses

4

Les plantes grasses se reproduisent avec une si grande facilité que quiconque le désire peut en obtenir une importante collection très rapidement et sans peine. On peut les propager par leurs graines, par diverses formes de boutures et, dans le cas précis de la famille des cactées, par la greffe d'une plante sur une autre.

Les graines des plantes grasses sont, dans leur grande majorité, très petites ; le pourcentage de germination y est très élevé, mais on ne saurait recommander ce mode de reproduction aux amateurs pressés car il faut souvent, après l'ensemencement, attendre un an ou plus avant d'obtenir un plant de dimension appréciable. Si vous n'avez pas cette patience, il existe deux autres bonnes méthodes de reproduction : les boutures simples qui prennent plus facilement que celles d'aucune autre espèce, et les rejetons, pousses miniatures émises par la plante mère parfois pourvues d'un réseau complet de racines et qui, doucement détachées et mises en terre, mènent une existence totalement indépendante. La greffe peut également donner des résultats aussi rapides, et en certains cas instantanés. En outre, de tous les modes de reproduction possibles, la greffe est certainement le plus passionnant en ce qu'il offre à celui qui la pratique la possibilité de créer des formes extraordinaires. En dehors des euphorbes, la plupart des plantes grasses ne se prêtent pas aussi bien à la greffe que les cactées, car elles ne possèdent pas le système vasculaire nourricier interne qui conditionne la réussite de cette méthode.

Judicieusement pratiquée, la greffe peut produire des plantes aussi extraordinaires que le *Harrisia jusbertii*, né de la greffe d'un gymnocalycium (partie supérieure de la plante sans racines) sur une souche d'hylocereus. Les teintes rouge et orange du greffon sont si vives qu'on les croirait artificielles ; elles sont, en fait, le résultat d'une mutation spontanée qui donne des plantes pigmentées n'ayant que peu ou pas de chlorophylle. Pour qu'ils puissent survivre, tous ces mutants doivent être greffés sur des porte-greffe très vigoureux. Les porte-greffe, qui peuvent être constitués par des rejetons ou des semis produits par des graines, sont greffés lorsqu'ils ont trois semaines ; ceux que vous achetez ont environ sept mois. Les rejetons qui se forment à leur pied ne peuvent être

Bien rangées dans des germoirs en bois, ces joubarbes de un et deux ans vont pouvoir être transplantées à l'extérieur. On les reproduit facilement en faisant s'enraciner les petits rejetons auxquels elles donnent naissance.

73

bouturés comme ceux des autres types de cactées et doivent être également greffés sur des porte-greffe qui leur permettront de se nourrir.

POURQUOI GREFFER La méthode de greffe utilisée pour la production de *Harrisia jusbertii* a une valeur inestimable pour tous les amateurs, car elle permet d'amener à maturité des semis plus rapidement que par tout autre procédé, ce qui est particulièrement appréciable avec de nouveaux hybrides. La greffe permet aussi de sauver une plante autrement condamnée; il suffit d'en greffer une portion importante, mais nettement moins de la moitié, sur un porte-greffe robuste. Quand le greffon aura repris de la force et, en outre, produit quelques pousses vigoureuses comme c'est souvent le cas, on pourra le séparer du porte-greffe, le bouturer dans du sable et de la vermiculite comme n'importe quelle bouture et le rempoter ensuite. Lorsque l'on détache ce qui n'a été en fait qu'une greffe temporaire, il faut bien veiller à laisser une partie du greffon sur le porte-greffe; elle produira des rejetons que l'on pourra faire s'enraciner en pots séparés, de sorte que ce procédé permet non seulement de sauver une plante, mais également de la reproduire.

Avec la greffe, on peut aussi unir certains types rampants comme le *Schlumbergera bridgesii* à une autre variété d'épiphylle à tronc, exactement comme on le fait pour les rosiers, afin que ses branches retombantes soient mieux en valeur. Mais, souvent, on ne greffe des cactées que parce que les racines et les tiges de la plante, insuffisamment fortes, ne peuvent la nourrir ni la porter convenablement.

Certains spécialistes estiment que toute cactée peut être greffée sur une autre, mais d'autres pensent que greffon et porte-greffe doivent être étroitement apparentés pour que l'opération réussisse. Dans un cas comme dans l'autre, il importe avant tout que le porte-greffe, ou sujet, qui doit recevoir le greffon, soit assez robuste pour pouvoir s'acquitter de sa tâche. En règle générale, le sujet doit peser à peu près dix fois plus que le greffon qu'on lui destine.

A LA MONTÉE DE LA SÈVE La meilleure époque pour procéder à une greffe est le printemps, saison où la montée de la sève a lieu chez les cactées comme chez presque toutes les autres plantes. Il y a cependant quelques exceptions: c'est ainsi que les *Schlumbergera bridgesii*, qui fleurit en hiver, doit être greffé sur un sujet ayant le même rythme de végétation et dont la montée de la sève s'effectue à la fin de l'automne.

Il existe quatre techniques courantes de greffe: à plat, en fente, en incrustation et en sifflet. La plus fréquente car la plus facile et la mieux adaptée est la greffe à plat. Quelle que soit la méthode choisie, utilisez toujours un couteau en acier inoxydable, car la sève de certaines cactées noircit l'acier ordinaire.

Pour réaliser une greffe à plat, coupez simplement le sommet du sujet là où il est assez large pour recevoir la base du greffon; la coupe doit être faite à un endroit où la tige est ferme et non molle et spongieuse, comme c'est le cas près de l'extrémité végétative. Enlevez ensuite une portion de la base du greffon et appliquez-la sur la partie sectionnée du sujet pour voir si les anneaux visibles de tissu vasculaire concordent à peu près. Il faut parfois couper les épines et les bouts protubérants des nervures sur le sujet et le greffon. Quand tout est prêt, découpez une tranche très fine, translucide, sur les extrémités à assembler du sujet et du greffon, car la sève a eu le temps de sécher sur les deux sections pendant que vous les présentiez pour faire un essai ; étant donné que le succès de la greffe dépend de l'intimité de l'union des deux plantes, il vaut mieux que les coupes soient fraîches. Appliquez alors fermement les deux sections l'une contre l'autre afin d'éliminer toutes les éventuelles bulles d'air. Assurez-vous que les deux anneaux vasculaires coïncident.

Étant donné qu'il faudra plusieurs semaines pour que la greffe prenne, les deux éléments doivent être maintenus en contact de manière artificielle. Avec de petites cactées, on peut le faire à l'aide de deux bracelets de caoutchouc disposés à angle droit et passant sous le pot et sur le sommet du greffon ; ils maintiendront celui-ci en contact avec le sujet sans empêcher la croissance, grâce à leur élasticité. Lorsqu'on a affaire à des plantes plus grandes, il suffit de poser sur le dessus du greffon des morceaux de ficelle munies d'un poids à chaque extrémité. Vous enlèverez les bracelets ou les ficelles quand le greffon ne bougera plus malgré une légère pression de vos doigts à l'endroit de la greffe.

LIGATURE DE LA GREFFE

Quand le greffon que l'on veut utiliser est plat au point de sembler n'avoir que deux dimensions par rapport à d'autres formes de cactées, on a alors recours à la greffe en fente qui consiste à insérer le greffon *dans* le sujet au lieu de l'appliquer simplement *sur* celui-ci. C'est la technique la plus souvent employée avec le *Schlumbergera bridgesii*. Détachez le greffon de la plante à un nœud, effilez-en une extrémité de manière à lui donner la forme d'une pointe de flèche, et insérez celle-ci dans une fente correspondante pratiquée sur le sommet du porte-greffe. Pour le maintenir en place, utilisez si possible une épine de cactée, que l'on peut laisser se décomposer sur place sans qu'elle fasse de marque. Si vous n'en avez pas, utilisez un cure-dent. Il vous faudra le retirer par la suite, mais il ne provoquera qu'une petite cicatrice.

La greffe en incrustation consiste à appointer en forme de coin la base du greffon d'une espèce rampante et à l'insérer dans une incision pratiquée sur le porte-greffe, en général la raquette plate d'une plante telle une oponce, qui doit d'ailleurs être en parfait état.

Quand il s'agit de greffons longs et minces, comme ceux du Cierge de Silvestre *(Chamaecereus silvestrii)*, on pratique généralement une greffe en sifflet. Cette technique consiste à couper en diagonale les parties à assembler du greffon et du sujet ; son avantage est d'augmenter considérablement la surface de contact, ce qui est très utile étant donné la faible section du greffon. On maintient la greffe à l'aide d'une épine de cactée ou d'un cure-dent, puis on la ligature avec de la ficelle ou du raphia jusqu'à ce que l'assemblage soit suffisamment solide pour qu'on puisse enlever les attaches.

Les cactées nouvellement greffées doivent être tenues à l'ombre, mais seulement jusqu'à cicatrisation de la greffe. Si celle-ci est pratiquée sur une plante d'extérieur, protégez-la du soleil avec un sac de papier jusqu'à ce que les bords de la blessure soient parfaitement secs. Arrosez les cactées greffées comme les autres *(page 35)*, mais veillez à ne pas mouiller la greffe elle-même car toute humidité à cet endroit risquerait de provoquer un pourrissement et d'attirer des insectes nuisibles. C'est assez facile à éviter. Une fois que vous aurez enlevé l'attirail qui vous a servi à faire prendre la greffe, vous pourrez joindre la nouvelle plante à votre collection et la traiter exactement comme les autres.

SIMPLICITÉ DU SEMIS Après les complications de la greffe, la reproduction des cactées et des plantes grasses par les graines apparaît relativement simple. La plupart des amateurs utilisent dans ce cas des graines fraîches achetées en sachet. C'est une manière facile de vous procurer de nouvelles espèces que vous n'avez pas forcément les moyens d'acheter déjà plantées. Comme la moitié à peu près des cactées cultivées ne fleurissent pas, il vous sera difficile d'employer vos propres graines, à moins que vous n'ayez la chance de vivre dans une région où ces belles plantes prolifèrent à l'état naturel.

Cependant, si une de vos plantes grasses vous offre un jour une capsule de graines sur le point d'éclater (et ce peut être une véritable explosion puisqu'une seule capsule de Crassule commune libère jusqu'à un millier de petites graines), vous vous devez d'essayer de les faire germer ; les plantes produites par des graines sont en général plus robustes, mieux formées et plus faciles à acclimater que celles propagées par d'autres méthodes. Un bon indice de maturité pour les graines est une teinte plus foncée. Celles de certaines plantes grasses, en particulier les épiphylles, sont enrobées dans une substance gommeuse même quand elles sont mûres, et il faut les en débarrasser en les mettant dans un morceau d'étamine et en les lavant à grande eau. Séchez ensuite les graines sur une serviette en papier avant de les semer. La plupart des graines de plantes grasses ne demandent pas d'autre préparation, mais celles des plus grandes espèces d'oponces et de quelques autres sont enfermées dans des cosses dures qu'il faut faire tremper et entailler ensuite, comme celles du Volubilis des jardins ou celles du Pois de senteur, espèces beaucoup moins exotiques.

On peut utiliser à peu près n'importe quel récipient afin de semer les graines, pourvu qu'il soit parfaitement propre, par exemple un vieux pot de fleurs en argile, un plateau poreux ou encore un quelconque plat de cuisine mis au rancart, à condition qu'il ne fuie pas trop. Stérilisez le récipient choisi à l'eau bouillante. Garnissez-le au tiers de gravier et finissez de le remplir jusqu'au bord avec un mélange pour cactées *(page 34)* ne contenant pas de grosses mottes. Ce mélange ne doit pas être excessivement fin car, s'il était homogénéisé, il aurait à l'arrosage tendance à se resserrer et à comprimer les plants, ce qui entraverait leur développement. Imbibez le sol avant de semer en mettant le récipient presque jusqu'au bord supérieur dans de l'eau tiède pendant tout le temps nécessaire. Retirez-le ensuite et laissez le mélange s'égoutter.

Les graines doivent être réparties également à la surface du mélange puis recouvertes d'une très mince couche de sable fin. Mettez sur le récipient une plaque de verre ou une feuille de plastique pour que l'eau ne s'évapore pas trop rapidement. S'il s'agit d'une plaque de verre, il faut qu'elle soit teintée de manière que le soleil réchauffe les graines sans les brûler. Si vous utilisez du plastique, choisissez-le opaque et non transparent. Si vous ne disposez que d'une plaque de verre blanc, soulevez-la pour donner un peu d'aération pendant les heures les plus chaudes de la journée, afin que les graines ne souffrent pas. Il doit toujours y avoir des traces de condensation sur l'envers du couvercle, qu'il s'agisse de verre ou de plastique. Si ce n'est pas le cas, humectez immédiatement le mélange, mais uniquement par le fond; si la condensation forme de grosses gouttes, essuyez la vitre ou le plastique. Et rappelez-vous qu'il est absolument indispensable que le sol soit, en permanence, tout juste humide.

La meilleure température pour la germination des graines est de 27° C environ, de jour comme de nuit. Dans une pièce chaude, derrière une fenêtre bien ensoleillée, la germination peut s'effectuer sans apport

UN GERMOIR HUMIDE ET CHAUD

Le rouge vif des fruits de ce Melocactus obtusipetalus *sert à attirer oiseaux, insectes et rongeurs, qui contribueront à assurer la perpétuation de l'espèce. Un fruit mûr (à droite), mordu par un mulot, laisse voir ses graines noires. Certaines passeront par les voies digestives du mulot et, quand elles germeront après avoir été rejetées dans ses déjections, elles produiront des plantes assez dispersées pour n'avoir pas à entrer en compétition pour l'eau avec la plante mère.*

supplémentaire de chaleur : cependant, si vous voulez éviter de prendre des risques, vous pourrez acheter une résistance de chauffage du sol à thermostat ou un petit germoir autonome dans la plupart des garden centers et dans les maisons qui vendent des graines par correspondance. Ils réalisent ce qu'on appelle une couche chaude par chauffage sous le mélange du germoir ou dans le gravier de drainage des pots. Le début de l'été est le meilleur moment pour la reproduction, et aussi le plus sûr, car la température nocturne risque peu de baisser de façon importante et de compromettre ainsi la germination.

Les premiers signes de végétation doivent apparaître au bout de trois semaines, à moins que vous n'ayez choisi un genre rare comme celui des parodias, qui peuvent mettre jusqu'à un an pour germer. Il est très important que les semis aient assez d'air frais, aussi relevez chaque jour un peu plus la vitre ou le plastique recouvrant le récipient, en commençant par deux centimètres, pour l'enlever entièrement au bout de quelques semaines. Un excès brutal d'air et de lumière peut provoquer une décoloration des jeunes plants ou même les brûler, et il faut maintenir le sol humide pendant qu'ils s'endurcissent progressivement pour l'exposition au plein air. Gardez ces semis en pot jusqu'au printemps suivant, sauf s'ils ont poussé très vite et sont à l'étroit dans leur récipient, auquel cas vous devez les éclaircir sans attendre.

LA DOUCEUR NÉCESSAIRE
Les plants provenant du semis des plantes grasses doivent être arrachées avec précaution, avec une étiquette à plantes en bois ou tout autre objet de même forme. Préparez un trou assez grand pour contenir les racines soit dans un coin moins encombré du même récipient, soit dans un autre. Tassez légèrement le sol pour maintenir le plant en place, humidifiez le sol pour éliminer les poches d'air et agissez ensuite comme si les semis n'avaient jamais été transplantés. Il faut à la plupart des plantes grasses environ six mois pour atteindre une taille permettant de les prendre en main : le saguaro qui deviendra un géant peut fort bien ne pas dépasser 6 millimètres au bout de deux ans. Le moment venu, donnez aux plants plus de place dans des récipients remplis d'un mélange composé d'une moitié de sable, d'un quart de terreau de feuilles et d'un quart de compost spécial pour plantes en pots. Dès que les jeunes plants sont assez grands, mettez-les dans des conteneurs individuels (ci-contre).

LE BOUTURAGE
Si vous n'avez pas assez de patience pour attendre la lente croissance des semis, le bouturage est, après la greffe, le moyen le plus rapide d'obtenir de nouvelles plantes. Une bouture de plante grasse prélevée sur une feuille ou sur une tige qui a plusieurs attaches de feuilles peut produire assez de racines pour se nourrir seule au bout de trois semaines. Faites enraciner les boutures dans des récipients remplis de sable très grossier et bien lavé. Celui-ci doit être humide mais pas détrempé, car les boutures que vous y mettrez n'ont pas de racines ; non seulement elles sont incapables d'utiliser l'eau en excès, mais de plus cet excédent d'eau pourrait les faire pourrir.

La meilleure saison pour prélever les boutures est le printemps ou le début de l'été, quand elles sont au plus fort de la croissance et qu'elles auront la plus longue période de végétation possible avant l'hiver. Les boutures n'exigent pas autant de chaleur que les graines semées, mais elles doivent néanmoins avoir une température d'environ 16°C, aussi n'en faites pas avant que le temps ne commence à se réchauffer. Si vous ne pouvez attendre le printemps, il vous faudra alors utiliser des germoirs à résistance chauffante.

Les boutures peuvent être prélevées sur n'importe quelle partie de la plante, mais il vaut mieux les prendre à un point de jonction naturel, comme un nœud, afin que leur absence ne modifie pas l'apparence d'un spécimen apprécié. Les cactées en forme de colonne comme les cierges *(Cereus)* constituent une fâcheuse exception, car on est obligé de les « scalper », c'est-à-dire de prélever un morceau assez important à leur extrémité supérieure. Cela ne tue pas la plante et favorise au contraire de nouvelles pousses sous la coupe. Si vous prélevez une bouture au bout d'un cierge cultivé à l'extérieur, veillez à pratiquer une coupe en diagonale afin que la pluie ne puisse s'accumuler sur la blessure. Saupoudrez celle-ci de fongicide ou de charbon de bois pulvérisé pour éviter le pourrissement. Après avoir prélevé les boutures, laissez-les reposer à l'ombre, de quelques jours à une semaine — davantage si elles sont très grandes —, jusqu'à ce que leurs plaies soient bien sèches et parfaitement cicatrisées.

REPRODUCTION PAR GRAINES

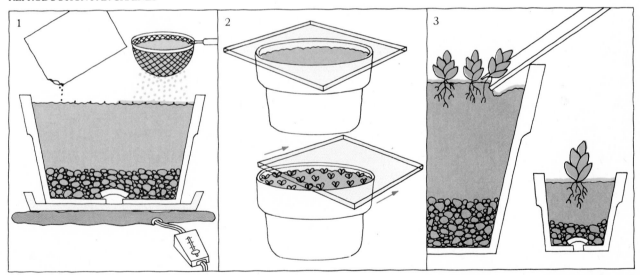

Sur un fond de gravier dans un pot en argile, mettez un tiers de compost et deux tiers de sable granuleux. Humectez par le fond. Éparpillez les graines et recouvrez d'un peu de sable tamisé. La nuit, chauffez par en dessous.

Couvrez le pot d'une plaque de verre et mettez-le au chaud et au soleil. Les jours chauds, soulevez un peu le verre pour ne pas brûler les graines. Quand les semis sortent, enlevez progressivement le verre pour acclimater les plants au plein air.

Quand les semis ont environ 2,5 cm ou qu'ils sont trop serrés, enlevez-les avec un bâton fourchu et transplantez-les dans des pots de 8 cm. Humidifiez aussitôt le sol pour éliminer les poches d'air qu'il peut y avoir autour des racines.

Si la bouture est faite d'une feuille longue, comme c'est le cas pour l'aloès, le gasteria, le haworthia ou la sansevière, il n'est pas nécessaire d'employer toute la feuille ; vous pouvez la couper en fragments de 8 à 10 centimètres qui fourniront autant de boutures, et donc autant de nouvelles plantes. Comme pour toutes les plantes grasses, laissez des cals se former sur les extrémités coupées. Enfoncez alors chaque morceau dans un mélange où il s'enracinera *(ci-dessous)*, en veillant à placer vers le bas son extrémité inférieure.

La méthode de bouturage la moins orthodoxe est probablement celle que l'on peut employer avec le fruit vert d'un opuntia. En le posant sur le côté dans un mélange spécial et en l'y enfonçant légèrement, vous le verrez s'enraciner au bout de trois semaines environ et, quelques mois plus tard, un opuntia sera sorti de ce fruit ; c'est là un exemple assez rare de reproduction d'une plante à partir d'un fruit encore vert.

Certaines plantes vertes n'attendent même pas que le jardinier leur enlève quelques feuilles : le *Sedum rubrotinctum* perd ainsi quelques-unes de ses épaisses feuilles rousses durant l'été, et il se retrouve bientôt entouré de jeunes plantes nouvelles.

Les boutures, une fois la cicatrisation achevée, prendront mieux si on les maintient à faible profondeur dans le récipient. Si elles passent par-dessus les bords du pot, attachez-les, avec de la ficelle pour plantes ou avec du raphia, à des cure-dents dont vous enfoncerez le bout dans le compost. Les boutures ont besoin de chaleur, mais il n'est pas nécessaire de les exposer directement au soleil ; mettez-les plutôt dans un endroit légèrement ombragé. Si la lumière naturelle est insuffisante, vous pouvez faire enraciner vos boutures et les faire pousser à la lumière froide de lampes fluorescentes. Un appareil à deux tubes de 20 watts

REPRODUCTION PAR BOUTURES
Des boutures prélevées sur une plante grasse (rangée du haut) et plantées dans du sable (rangée du bas) donnent souvent un plant en quelques mois. Choisissez de grands morceaux charnus et laissez-les sécher et cicatriser avant de les planter, ce qui prend en général quelques jours, mais jusqu'à vingt jours pour une grosse bouture. Enfoncez la bouture dans le compost, juste assez pour qu'elle tienne seule. Si elle est trop grosse, tuteurez-la (en bas à droite). Placez les boutures au chaud et à l'ombre, et maintenez le sol à peine humide. Une fois les racines formées, rempotez dans un mélange moitié compost-moitié sable granuleux.

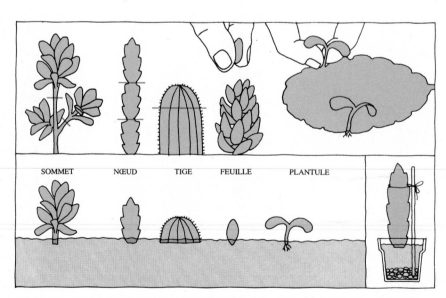

SOMMET   NŒUD   TIGE   FEUILLE   PLANTULE

allumé seize heures par jour suffit pour trente-cinq à cinquante boutures. Pour faire enraciner les boutures, placez le dessus du germoir à 15 centimètres environ de l'appareil d'éclairage et maintenez une température comprise entre 21 et 24°C.

La plupart des boutures s'enracinent en l'espace d'un mois; assurez-vous-en en tirant légèrement dessus : si elles résistent, c'est probablement qu'elles peuvent être mises dans des pots individuels. Si elles ne sont pas bien enracinées, il vous sera toujours possible de les repiquer dans le compost.

Les joubarbes possèdent un autre avantage pour l'amateur de plantes grasses : on peut les reproduire sans graines, et même sans boutures. Il suffit de les diviser en touffes déjà enracinées en détachant les rejetons de la plante mère, et de les planter pour obtenir de nouveau spécimens. Cette méthode de propagation peut être utilisée avec toutes les plantes grasses dont les racines forment un tapis comme les joubarbes, et notamment les échevérias. Bien que les rejetons ne soient pas rares, ils ne s'établissent pas toujours tout seuls; il faut les séparer de la plante mère par une coupe nette, et les faire s'enraciner comme n'importe quelle bouture.

Si vous êtes un débutant qui vient tout juste de découvrir ce merveilleux passe-temps que constitue la multiplication des cactées et des plantes grasses, vous serez sans doute étonné par leur fécondité, et aussi heureux qu'un jardinier amateur qui a bien réussi son potager et effectue sa première récolte. Les produits de votre travail risquent fort de déborder très vite de l'espace que vous pensiez leur allouer, et vous ne tarderez pas à en donner à vos amis. Mais c'est là le genre de difficulté que tout jardinier est au fond ravi de devoir affronter.

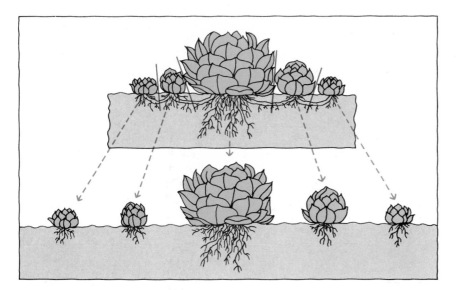

REPRODUCTION PAR REJETONS

De nombreuses plantes grasses peuvent être propagées par des rejetons qui sont des plantules — souvent avec leurs racines — reliées à la plante mère par des tiges souterraines latérales. Pour séparer un rejeton, dénudez la tige latérale, coupez-la et mettez-la immédiatement en pot ou en pleine terre. Si le rejeton n'a pas de racines, mettez-le à l'ombre jusqu'à ce que la partie coupée de la tige sèche et forme un cal; replantez-le alors. Laissez également un cal se former sur la section de la tige de la plante mère avant de la recouvrir de terre.

L'art délicat de la greffe

La greffe, qui consiste à assembler un morceau de tige d'une cactée et la tige enracinée d'une autre, offre de merveilleuses possibilités à l'amateur de ce genre de plantes. On peut la pratiquer pour sauver une plante affaiblie ou sur le point de mourir, pour hâter — parfois de un ou deux ans — la floraison de jeunes plants, ou encore pour fournir à une plante pleureuse comme le *Schlumbergera bridgesii* une sorte de piédestal pour ses tiges pendantes.

Mieux encore, la greffe permet la création de nouvelles plantes ; on peut même greffer plusieurs sortes de cactées sur un seul et même sujet qui est appelé porte-greffe.

Les cactées et certaines plantes grasses comme les euphorbes se prêtent mieux que d'autres à la greffe, car chaque plante possède un anneau interne de tissu vasculaire bien visible que l'on peut faire concorder avec celui d'une autre ; cela est essentiel pour que la sève nourricière de la plante mère enracinée, le sujet ou porte-greffe, passe sans difficulté dans la partie greffée, appelée greffon. La meilleure saison pour une greffe est la fin du printemps, époque où commence tout juste une nouvelle période de végétation. Choisissez un sujet bien enraciné et plein de sève et un greffon prélevé sur le sommet végétatif ferme et vigoureux d'un jeune rejeton. Dans la plupart des cas, le greffon doit avoir le même diamètre que le sujet, ou un diamètre qui lui soit légèrement inférieur.

Faites toutes les coupes et entailles avec un couteau bien affûté ou une lame de rasoir stérilisée dans un détersif liquide ménager. Assemblez les deux plantes en pressant légèrement pour éliminer les bulles d'air qui pourraient faire sécher les surfaces fraîchement coupées. Maintenez en place à l'aide de ficelles munies de poids, de bracelets de caoutchouc passés sous le pot et le greffon, d'épines de cactées ou de cure-dents, selon la méthode employée. (Quatre méthodes de greffe sont expliquées dans les pages suivantes.) Les épines sont les plus pratiques parce qu'on peut les laisser dans la plante et qu'elle y font peu de cicatrices.

Gardez les plantes greffées au sec et à l'abri du soleil de deux à quatre semaines, jusqu'à ce que le greffon ne bouge plus sous une légère pression — ce qui indique que la greffe est en train de prendre. Si votre but est de régénérer un greffon, attendez qu'il manifeste une végétation vigoureuse — ce qui peut prendre un ou deux ans — pour le séparer du sujet et le faire s'enraciner dans le sable pour une vie indépendante.

Cette plante évoquant un gnome chevelu a été obtenue par la greffe d'un Mammillaria hahniana *sur un sujet constitué par un* Cereus peruvianus.

Naissance d'une plante nouvelle

Il existe pour les cactées quatre méthodes principales de greffe : à plat (greffon et sujet sont coupés à angle droit pour être assemblés), en sifflet (ils sont coupés à 45°), en fente (le greffon appointé est inséré dans une fente pratiquée sur le sujet) et par incrustation (le greffon, taillé en coin, est inséré dans une incision faite sur le sujet). La greffe des semis *(ci contre)* est une variante de la greffe à plat.

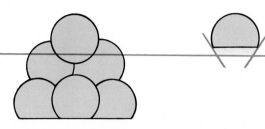

LA GREFFE A PLAT

Les greffons épais et ronds comme le Mammillaria prolifera de trois ans sur le cactus à port en colonne de gauche se prêtent en général à une greffe à plat. C'est la plus simple parce qu'il est relativement facile de faire coïncider sur des surfaces plates une bonne partie de l'anneau vasculaire du greffon avec celui du sujet. Coupez un greffon vigoureux d'un diamètre correspondant à celui du sujet, puis biseautez légèrement le bout coupé (à gauche). Coupez le sommet du sujet et biseautez les bords vers le bas de manière que le greffon et le sujet s'adaptent bien (en bas, à gauche). Cela fait, coupez une fine tranche sur chacun et assemblez-les en veillant à faire coïncider les anneaux. Passez des ficelles munies de poids sur le greffon (en bas, à droite). Gardez la plante au sec et à l'abri du soleil jusqu'à ce que la greffe prenne ; vous pouvez alors enlever les poids que vous avez utilisés.

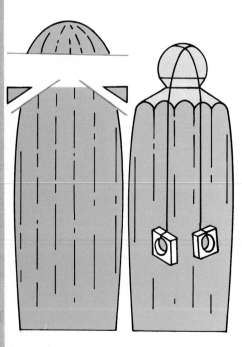

GREFFON : MAMMILLARIA PROLIFERA
SUJET : ACANTHOCEREUS PENTAGONUS

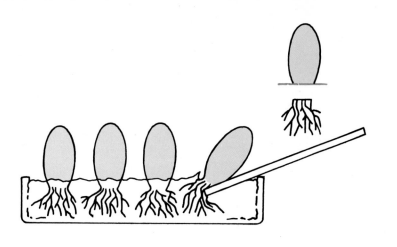

LA GREFFE DES SEMIS

*Le petit plant perché sur le sujet de gauche
arrivera beaucoup plus vite à maturité que
s'il avait été abandonné à ses seules
ressources. Pour ce genre de greffe,
enlevez le sommet du sujet ; ne biseautez
les bords de la découpe que s'il y a des
épines gênantes pour le greffon
(ci-dessous, en haut). Dégagez le plant de
son récipient en faisant un levier avec une
étiquette en bois ou un crayon, et coupez
les racines (à gauche). Enlevez une fine
tranche de l'extrémité coupée du sujet et
assemblez les deux plantes, en vous
assurant que la base du semis est en
contact avec l'anneau vasculaire du sujet
(ci-dessous, en bas). Inutile d'attacher :
le plant est si petit qu'il adhère seul à la
section humide du sujet. Gardez les plantes
à l'abri du soleil jusqu'à la prise de la
greffe, et maintenez la surface coupée
visible bien sèche.*

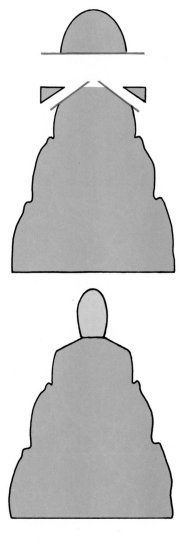

GREFFON : JEUNE PLANT DE MAMMILLARIA
SUJET : HYLOCEREUS UNDATUS

LA GREFFE EN SIFFLET

Deux cactées minces greffées en sifflet ont donné la plante de gauche à tête hirsute. Pour réaliser cette greffe, coupez le greffon et le sujet selon un même angle de 45° et réunissez-les rapidement en veillant à ce que leurs anneaux vasculaires internes soient en contact (ci-dessous). Maintenez en place avec des épines de cactées ou des cure-dents ; si cela ne suffit pas, ligaturez avec un lien souple. Gardez à l'abri du soleil jusqu'à ce que la cicatrisation se fasse (en général de deux à quatre semaines), puis enlevez cure-dents et lien. Inutile d'enlever les épines qui ne laissent qu'une cicatrice presque invisible.

GREFFON : HILDEWINTERA AUREISPINA
SUJET : SELENICEREUS PTERANTHUS

LA GREFFE EN FENTE

La greffe en fente est souvent utilisée pour des greffons rampants comme le Schlumbergera truncata à gauche. Décapitez le sujet et faites une entaille verticale en biseau de 12 mm de profondeur. Laissez la tranche en place pour garder l'humidité. Coupez le greffon à un nœud et effilez le bout coupé (ci-dessous, à gauche). Enlevez la tranche et insérez le greffon en faisant coïncider les anneaux vasculaires. Maintenez avec des épines ou des cure-dents, et ligaturez avec du raphia (ci-dessous, à droite). Gardez au sec et à l'ombre jusqu'à cicatrisation; enlevez raphia et cure-dents.

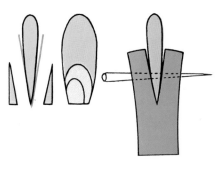

GREFFON: SCHLUMBERGERA TRUNCATA
SUJET: PERESKIOPSIS GATESII

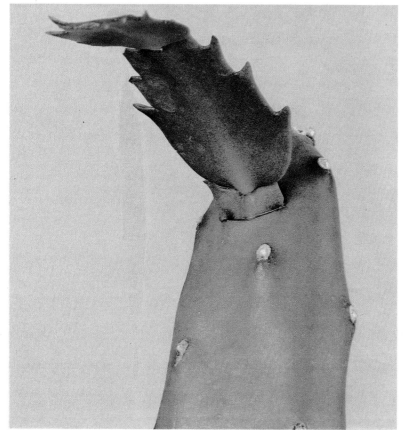

LA GREFFE PAR INCRUSTATION

La greffe par incrustation, comme celle en fente, est surtout utilisée pour donner un support aux cactées rampantes (à gauche). Faites une incision profonde sur le sujet vers le haut ou le bas, sans le traverser. Coupez le greffon à un nœud de la tige puis effilez le bout coupé (ci dessous, à gauche). Insérez le greffon dans l'incision en faisant correspondre les anneaux vasculaires (ci-dessous, à droite). Maintenez avec des cure-dents ou des épines. Gardez au sec et à l'abri du soleil jusqu'à cicatrisation; enlevez les cure-dents ou coupez les épines.

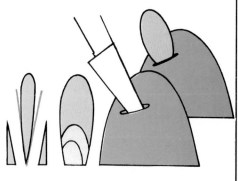

GREFFON: SCHLUMBERGERA TRUNCATA
SUJET: OPUNTIA MAXIMA

Un piédestal pour la beauté

Les cactées greffées possèdent une étrange beauté, presque irréelle. Beaucoup, comme le spécimen à la tête blanche ci-dessous, ressemblent un peu à des arbres avec leurs longues tiges minces curieusement poilues ou leurs branches bulbeuses ; d'autres sont « schizoïdes » et, comme le *Harrisia jusbertii* en fleurs de droite, présentent un « dédoublement de la personnalité ». La faveur dont jouit cette cactée vient des greffons de gymnocalycium si colorés qu'ils ont l'air d'avoir été teints. Cette couleur orange ou rouge découle en fait d'une mutation spontanée qui leur a laissé peu ou pas de chlorophylle ; ils doivent donc obligatoirement être greffés sur une plante pour survivre puisqu'il doivent s'en remettre à un sujet pour assurer leur fonction chlorophyllienne. Cependant, la plante tout à fait en bas à gauche n'est pas un *Harrisia jusbertii* ; le greffon est un *Neoporteria* démuni de chlorophylle et assez rare.

GREFFON: NEOPORTERIA CHILENSIS
SUJET: CEREUS PERUVIANUS

GREFFON: MAMMILLARIA FRAGILIS
SUJET: SELENICEREUS MACDONALDIAE

GREFFON: GYMNOCALYCIUM MIHANOVICHII
SUJET: HARRISIA JUSBERTII

GREFFON: ESPÈCE COLEOCEPHALOCEREUS
SUJET: CEREUS PERUVIANUS

GREFFON: ESPÈCE REBUTIA
SUJET: HYLOCEREUS GUATAMALENSIS

Une encyclopédie des cactées et des plantes grasses

En plantes d'appartement, les cactées et les plantes grasses sont très faciles à cultiver. La plupart d'entre elles viennent du désert, aussi se trouvent-elles fort bien de la basse teneur en humidité qu'assure le chauffage central et qui ferait se recroqueviller en vingt-quatre heures les frondes délicates de nombreuses fougères. Elles aiment beaucoup le soleil en été et acceptent allègrement la négligence d'un amateur qui les abandonne pour une semaine sans se soucier de demander à un voisin de veiller sur elles. Et certaines sont si résistantes qu'elles supportent même à l'extérieur les rigueurs d'un hiver du Nord de l'Europe.

Ces plantes remarquables sont d'une incroyable variété, comme le prouvent les plus de deux cents espèces qui figurent dans l'encyclopédie des pages suivantes et dans laquelle sont définies les conditions qui leur permettent de croître normalement : les quantités optimales de lumière, d'eau, les meilleurs composts et engrais, leur capacité — ou leur incapacité — à supporter les gelées.

La seule lecture de ces conditions peut vous en apprendre beaucoup sur ces plantes. Si l'on recommande un engrais riche en phosphore, vous saurez qu'elles en ont besoin pour avoir une belle floraison ; s'il doit être riche en azote, c'est qu'il faut encourager la pousse des feuilles. Quant à l'apport de calcaire, il sert à recréer les particularités de leur milieu d'origine : dans le désert, les faibles précipitations laissent à la surface des concentrations de sels minéraux qui rendent le sol alcalin.

Dans l'encyclopédie, cactées et plantes grasses sont classées par ordre alphabétique selon leur nom botanique latin — d'abord le nom du genre (ou générique), puis le nom de l'espèce (ou spécifique), parfois suivi d'une troisième dénomination, celle du cultivar s'il est exceptionnel. Les noms vulgaires souvent très imagés sous lesquels beaucoup de ces plantes sont connues — Couronnes d'épines, Reine-de-la-nuit, Figuier de Barbarie, Plante-caillou ou Barbe-de-Vieillard — comportent dans l'index un renvoi à leur nom latin, plus précis. Et l'on retrouvera aux pages 151-153 un tableau de référence résumant toutes les caractéristiques des espèces représentées sur les illustrations.

Ci-contre, des fleurs de cactées écloses en véritables feux d'artifice au printemps. En bas à droite, feuillage gris du Cotyle ondulé. Au centre à gauche, les feuilles mauve foncé de l'Aeonium.

Adenium obesum

A

ADENIUM

A. obesum

Taille : jusqu'à 90 cm de haut en tant que plante en pot ; de 2 à 4,50 m à l'extérieur.

Plante grasse originaire d'Afrique orientale et du Sud de l'Arabie, *Adenium obesum* devient à maturité un petit arbre au tronc noueux et aux branches noueuses. Il a des feuilles oblongues et charnues de 7 à 15 cm de long, dont l'envers est couvert de petits poils blancs et qui sont rassemblées en bouquets à l'extrémité des branches. Au début de l'été, il porte de belles fleurs de 12 cm environ dont les cinq pétales arrondis sont d'un rose clair au centre et très foncé vers les bords.

A. obesum n'a pas d'épines et sécrète une sève laiteuse toxique. La plante a une croissance lente de 2,5 à 5 cm par an.

CULTURE. A l'extérieur, ces plantes ne sont résistantes que dans les régions plus chaudes du Sud de l'Europe. Il leur faut le plein soleil et une humidité moyenne. Plantez-les dans une terre sablonneuse et bien drainée, et mettez-leur de la poudre d'os à chaque printemps.

A l'intérieur, *A. obesum* demande au moins quatre heures d'ensoleillement par jour pour prospérer, ou douze heures au moins de lumière artificielle intense. Il tolère bien une forte lumière indirecte réfléchie par des murs clairs. A la saison active de la végétation en été, les plantes en intérieur exigent une température de 24 à 29°C le jour, et de 18 à 21°C la nuit. En hiver, ces températures doivent être inférieures de 5°C. Assurez-leur une humidité moyenne élevée.

Utilisez un compost ordinaire pour plantes en pot auquel vous ajouterez une cuillerée et demie à soupe de calcaire broyé et autant de poudre d'os par 4,5 litres. Laissez le sol sécher modérément entre les arrosages abondants du printemps à l'automne.

Arrosez moins fréquemment pendant l'hiver.

Ne mettez pas d'engrais pendant six mois aux plantes nouvelles ou rempotées. Une fois qu'elles sont établies, épandez une cuillerée à café de poudre d'os pour un pot de 10 à 15 cm de diamètre. Quand une plante est à l'étroit dans son pot, transplantez-la dans un récipient de la taille au-dessus.

La multiplication peut se faire par bouturage.

ADROMISCHUS

A. clavifolus, appelé aussi *A. vanderheydenii ; A. festivus ; A. maculatus*

Taille : de 3 à 8 cm de haut.

Originaires de l'Afrique australe, les plantes grasses du genre *Adromischus* poussent à l'état sauvage en des endroits très divers, depuis les sols sablonneux du niveau de la mer jusqu'aux terrains rocheux des montagnes. Elles ont des feuilles épaisses et charnues en général groupées en touffes serrées sur de très courtes tiges formant d'épaisses rosettes. Ces feuilles varient dans leur forme, leur couleur et leur texture, mais la plupart sont lisses et plutôt gris-vert, unies ou tachetées de rouge ou de violet. Parfois, de petites fleurs à cinq pétales éclosent en été au bout de tiges minces, mais ces plantes sont surtout appréciées pour leur feuillage extrêmement décoratif.

A. clavifolus (ou *A. vanderheydenii*) a des feuilles cylindriques gris-vert tachetées de rouge, longues de 3 à 8 cm et larges de 12 mm ; elles sont légèrement aplaties et ondulées au bout. De petites fleurs garnissent les tiges qui atteignent 30 cm de long.

A. festivus a des feuilles claviformes marbrées de violet ou de brun rougeâtre. Elles ont jusqu'à 5 cm de long et 3 de large. Les longues tiges de 35 cm, portant de petites fleurs blanches, rouges ou roses, s'élèvent au-dessus des touffes formées par les plantes.

A. maculatus diffère totalement des espèces précédentes par ses feuilles aplaties mais arrondies de 2 à 4 cm de long, de couleur gris-vert mais abondamment tachetées de marron rougeâtre. Des tiges d'une trentaine de centimètres de long portent de nombreuses petites fleurs blanches teintées de rouge.

Adromischus festivus

A l'intérieur, cultivez ces plantes dans des pots individuels peu profonds ou encore dans des jardins japonais ; à l'extérieur, vous pouvez les mettre dans des auges ou dans d'autres récipients.

CULTURE. Ces plantes grasses prospèrent à l'intérieur à condition de bénéficier d'au moins quatre heures d'ensoleillement direct ou de quatorze à seize heures d'éclairage artificiel intense par jour. Elles poussent assez bien sous une lumière indirecte intense, celle réfléchie par des murs clairs, par exemple.

La température idéale au printemps, en été et à l'automne est de 10 à 21°C la nuit, de 21°C et plus le jour. En hiver, veillez à ce qu'elle soit de 7 à 13°C la nuit, de 16°C et davantage le jour.

Elles préfèrent une humidité faible à moyenne. Du printemps à l'automne, laissez le sol sécher modérément entre les arrosages qui doivent être abondants. En hiver, arrosez juste assez pour que les plantes ne se dessèchent pas par manque d'eau.

Utilisez pour cultiver ces plantes un mélange composé en parts égales de compost pour plantes en pot et de sable granuleux. Ajoutez une cuillerée et demie à soupe de calcaire broyé et autant de poudre d'os par 4,5 litres de ce mélange terreux. A chaque printemps, mettez aux plantes établies une cuillerée à café de poudre d'os par pot de 10 à 15 cm de diamètre, ou bien employez un fertilisant spécial pour développer le feuillage des plantes d'appartement, que vous aurez dilué à 50 p. 100. Ne mettez pas d'engrais la première année aux plantes fraîchement établies. Veillez à rempoter au printemps les plantes qui tendent à être à l'étroit dans leur récipient.

Multipliez à partir de graines, de boutures de feuilles ou de tiges au printemps ou en été.

AEONIUM
A. arboreum var. *atropurpureum* ; *A. domesticum*, appelé aussi *Aichryson domesticum* ; *A. haworthii*
Taille : 10 à 90 cm de haut

Ces plantes grasses très facilement acclimatables, originaires d'Afrique du Nord, de Madère et des Canaries, poussent du niveau de la mer jusqu'à 1 800 m d'altitude. Elles ont été considérées un temps comme des joubarbes. Ce sont de petits arbustes portant des rosettes de feuilles aplaties au bout de leurs tiges ligneuses et de leurs branches. A la fin de l'hiver ou au début du printemps, les tiges arrivées à maturité produisent des pédoncules portant de petites fleurs en bouquets, semblables à des marguerites, qui peuvent tenir deux ou trois mois. Parfois la plante meurt après la floraison, mais elle laisse des rejetons.

A. arboreum var. *atropurpureum* atteint quelque 90 cm de haut. Il a des feuilles spatulées allant d'une teinte cuivrée au violet, longues de 5 à 8 cm, larges de 1 à 2 cm et arrondies au bout. Vers la fin de l'hiver, des fleurs jaunes d'or de 2 cm de diamètre apparaissent en petits bouquets.

A. domesticum (ou *Aichryson domesticum*) est un hybride en forme d'arbrisseau arrondi de 10 à 15 cm de haut. Il porte des feuilles rondes assez duveteuses atteignant quelque 3 cm de long et, pendant tout l'été, des bouquets de fleurs jaunes clairsemées. Il en existe également une forme à feuilles panachées de blanc.

A. haworthii se ramifie à partir du pied et forme un arbuste arrondi de 30 à 60 cm de haut et d'un diamètre à peu près équivalent. Ses feuilles, dont la couleur peut varier du bleu-vert au gris-vert, sont couvertes en été d'une poudre cireuse et ont les bords garnis de courtes soies rouges ; elles sont de forme ovale, avec une extrémité pointue, et atteignent de 3 à 5 cm de long pour 2 à 2,5 cm de large. Des fleurs allant du blanc au jaune pâle teinté de rose apparaissent au début du printemps en bouquets d'une douzaine de centimètres de long.

Les aeoniums ont une croissance rapide ; leur habitat naturel est l'hémisphère Sud, mais ils prospèrent également dans l'hémisphère Nord s'ils sont à l'intérieur pendant leur période active de végétation, c'est-à-dire du printemps à l'automne. Ce sont des plantes d'appartement peu exigeantes, que l'on peut cultiver en pots sur un appui de fenêtre ou dans des jardins japonais.

Aeonium arboreum var. *atropurpureum*

Aeonium x *domesticum*

Aeonium haworthii

AGAVE AMÉRICAIN PANACHÉ
Agave americana « Marginata »

A l'extérieur, on les cultive dans le Sud de l'Europe en conteneurs, en jardins de rocaille et sur le sol en tapis de verdure.

CULTURE. En appartement, les aeoniums doivent avoir au moins quatre heures d'ensoleillement ou douze heures de lumière artificielle intense par jour. Ils s'adaptent à une lumière indirecte forte, mais les couleurs de leur feuillage sont alors moins éclatantes. Pendant la période active de la végétation, il leur faut une température de 12 à 21 °C la nuit, supérieure à 21 °C le jour, et une humidité faible à moyenne. Pendant la période active de la végétation, laissez le sol devenir sec au toucher entre les arrosages abondants ; pendant la période de repos de la végétation, arrosez juste assez pour éviter la flétrissure.

Plantez les aeoniums dans un mélange en parts égales de compost ordinaire pour plantes en pot et de sable granuleux ; ajoutez pour 4,5 litres une cuillerée et demie à soupe de calcaire broyé et autant de poudre d'os. A la reprise de la végétation, mettez une cuillerée à café de poudre d'os par pot de 10 à 15 cm de diamètre. Ne mettez pas d'engrais aux plantes que vous avez fraîchement rempotées.

Changez le pot des plantes qui sont à l'étroit pour des récipients plus grands avant la reprise de la végétation, et arrosez légèrement jusqu'à l'apparition de nouvelles racines et de nouvelles feuilles. Les plantes sont plus vigoureuses et ont une floraison plus abondante si on les enlève de leur pot pour les mettre en pleine terre au jardin durant les mois d'été. Avant les gelées d'automne, déterrez-les, égalisez les racines et rempotez-les dans des pots de même dimension.

Les aeoniums peuvent rester toute l'année à l'extérieur dans les régions dont le climat est doux et dans celles où les gelées d'hiver sont très faibles. Il leur faut beaucoup de soleil et peu d'humidité. Le sol doit être bien drainé et amendé avec du calcaire broyé et de la poudre d'os avant la plantation. A la reprise de la végétation, épandez un peu de poudre d'os autour des plantes.

La multiplication peut se faire à partir de graines ou de boutures de tiges prélevées au début de la période active de la végétation.

AGAVE

A. americana « Marginata » (Agave américain panaché) ; *A. filifera* ; *A. filifera* « Compacta » ; *A. parviflora* ; *A. univittata* ; *A. victoriæ-reginæ* (Agave de la reine Victoria)
Taille : hampes de 1 à 9 m ; feuilles de 10 cm à 1,50 m

Originaires d'Amérique du Nord, du Centre, du Sud et des Antilles, les agaves poussent aussi bien au bord de la mer que dans les régions de haute montagne ; il en existe des espèces petites et d'autres géantes, mais leur croissance lente permet d'utiliser même les plus grandes comme plantes d'appartement quand elles sont jeunes. Les agaves ne parviennent à maturité et ne fleurissent qu'au bout de dix à cinquante ans, alors qu'ils ont déjà atteint plusieurs mètres de diamètre.

Plantes acaules — sans tige ou presque —, ils forment des rosettes de feuilles longues et étroites bordées de dents aiguës et terminées par une épine raide. Ces feuilles sont de couleur verte, bleu-vert ou gris-vert, avec parfois des marques blanches ou crème. A la saison de la floraison, c'est-à-dire en été, les fleurs en forme de cloche, généralement d'un jaune verdâtre, sont réparties le long d'une seule tige très ramifiée, appelée hampe. Une fois la floraison terminée et quand les graines sont mûres, la plante meurt, mais des rejetons apparaissent à son pied chez la plupart des espèces.

En forme de rosette collée au sol, *A. americana* « Marginata » (l'Agave américain panaché) a des feuilles gris-vert bordées de jaune, dont le bout se recourbe vers le sol, et qui peuvent atteindre 1,50 m de long sur 25 cm de large. En l'espace de dix à vingt-cinq ans, la plante lance une hampe de 2 à 7,50 m, garnie à sa partie supérieure de bouquets de 8 cm de fleurs odorantes.

Les feuilles d'un vert brillant d'*A. filifera* ont leurs contours bordés de minces fibres blanches ondulées et un bout en forme d'aiguille d'une douzaine de millimètres ; atteignant jusqu'à

25 cm de long et 2,5 cm de large, elles sont rigides, recourbées vers le haut et forment des rosettes au ras du sol. La hampe, qui atteint quelque 2,50 m de haut, est garnie sur sa plus grande longueur de fleurs jaune-vert qui tournent parfois au rouge foncé. La variété naine *A. filifera* « Compacta » possède quant à elle des feuilles qui ne dépassent pas 10 cm de long.

Autre espèce naine, *A. parviflora* a des feuilles rigides vert foncé de 10 cm de long sur 12 mm de large, qui s'effilochent vers leur extrémité ; leur partie supérieure est marquée de lignes blanches et les bords sont dentelés près de la base. La hampe peut atteindre 1,50 m de long ; elle porte des fleurs d'une douzaine de millimètres, de couleur jaune ou vert-jaune. Originaire du Nord du Mexique et du Sud de l'Arizona, la plante est petite, jolie et se cultive facilement en appartement.

A. univittata a des feuilles vertes de quelque 30 à 45 cm de long et de 4 cm de large avec une rayure centrale plus pâle ; elles sont bordées d'épines triangulaires crochues de 12 mm, et se terminent par un aiguillon marron d'environ 2,5 cm de long. La hampe de 3 m de long porte des fleurs vert pâle d'une longueur de 5 cm.

A. victoriæ reginæ (l'Agave de la reine Victoria), qui compte au nombre des petites plantes les plus décoratives, a des feuilles nombreuses étroitement serrées qui forment des rosettes très symétriques ; ces feuilles épaisses, rigides, de couleur foncé, ont de 10 à 30 cm de long, de 3 à 8 cm de large, au bout arrondi. Non dentelées, elles sont bordées de lignes blanchâtres que l'on retrouve aussi sur l'envers. Chaque feuille se termine par une grande épine arrondie noire flanquée de deux épines plus petites. Les hampes atteignent de 1 à 3,5 m de long et portent des fleurs qui peuvent être vert pâle ou vert-jaune.

Les agaves se prêtant le mieux à la culture en intérieur sont *A. americana* « Marginata », *A. filifera* « Compacta », *A. Victoriæ-reginæ* et *A. parviflora*. Quand ils sont jeunes, ils s'adaptent sans difficulté aux pots individuels ou aux jardins japonais. Passer les mois d'été dehors leur est très profitable, et ils sont particulièrement décoratifs dans les plates-bandes et les bordures bénéficiant d'un bon drainage.

CULTURE. En appartement, les agaves ont besoin de quatre heures au moins d'ensoleillement ou de douze à seize heures de lumière artificielle puissante par jour. Du printemps à l'automne, il leur faut une température de 18 à 21°C la nuit et de 24°C au moins le jour. En hiver, la température idéale est de 7 à 10°C la nuit et de moins de 18°C le jour. Veillez à maintenir une humidité faible mais suffisante.

Pour avoir de belles plantes, utilisez un mélange en parts égales de compost ordinaire pour plantes en pots et de sable granuleux, plus une cuillerée et demie de calcaire broyé et autant de poudre d'os par 4,5 litres. Du printemps à l'automne, laissez le sol devenir sec au toucher avant d'arroser, mais faites-le alors abondamment ; en hiver, en revanche, arrosez juste assez pour éviter que les feuilles de vos plantes ne se dessèchent et ne se racornissent.

Mettez à chaque printemps aux plantes établies une cuillerée à café de poudre d'os pour un pot de 10 à 15 cm de diamètre ; n'ajoutez pas de fertilisant pendant un an aux plantes fraîchement rempotées. Les agaves ont rarement besoin d'être changés de pot mais, si cela devient nécessaire parce qu'ils y sont trop à l'étroit, faites-le au printemps ; mettez des gants et tenez la plante avec un journal roulé.

A l'extérieur, les agaves ne poussent que dans les régions où les gelées d'hiver sont négligeables. Choisissez un endroit en plein soleil au sol sablonneux bien drainé, amendé avec du calcaire broyé et de la poudre d'os. Remettez de la poudre d'os dès le début du printemps.

Multipliez à partir de graines par division des rejetons, exception faite pour l'Agave de la reine Victoria qui ne se reproduit que par graines.

AICHRYSON. Voir *Aeonium*

AGAVE DE LA REINE VICTORIA
Agave univittata

ALOÈS HUMBLE
Aloe humilis

ALOÈS PANACHÉ
Aloe variegata

ALOE

A. aristata (Aloès à arêtes); *A. barbadensis,* appelé aussi *A. vera* et *A. vulgaris* (Aloès de la Barbade); *A. brevifolia; A. hawor-thiodes; A. humilis,* appelé aussi *A. prolifera* (Aloès humble); *A. stans,* appelé aussi *A. nobilis; A. variegata* (Aloès panaché)
Taille: de 5 cm à 2 m de haut

On cultive depuis des siècles les aloès comme plantes décoratives aussi bien que médicinales. Plantes grasses principalement originaires du continent africain et des îles qui l'entourent, les aloès poussent à l'état sauvage aussi bien au bord de la mer que dans les régions montagneuses, dans les déserts comme dans les forêts tropicales. Ils forment des rosettes allant de la taille d'une petite plante à celle d'un arbre, et font souvent des rejets. Les feuilles, vertes, épaisses et charnues, arrondies à la base, sont lancéolées et dentelées; elles se replient sur elles-mêmes. Les inflorescences émergent entre les feuilles en hiver et portent des grappes de fleurs tubuleuses rouge, jaune ou orange, s'épanouissant à l'extrémité en six pétales.

A. aristata (l'Aloès à arêtes) est une plante acaule formant une rosette de 10 à 20 cm qui comporte plus de cent feuilles de 10 cm de long et 2 de large; vertes à bleu-vert, elles portent à l'envers des rangées transversales de petits tubercules blancs, ont les bords dentelés et se terminent par de longues soies. Les hampes, atteignant 45 cm de haut, portent une vingtaine de fleurs jaunes à rouges de 3 cm de long.

A. barbadensis (l'Aloès de la Barbade), apprécié depuis longtemps pour les vertus calmantes de sa sève que l'on utilise dans le traitement des coupures et des brûlures, a des feuilles charnues vert vif atteignant 60 cm de long; elles sont tachetées de blanc quand elles sont jeunes et bordées de dents molles blanches à rouges. Des inflorescences de 90 cm de haut portent des fleurs jaunes ou rouges de 2,5 cm de long.

A. brevifolia, qui forme une rosette de 15 cm de diamètre, a des feuilles triangulaires gris-vert longues de 7,5 cm et larges de 2,5 cm, aux bords garnis de dents blanches. Les hampes de 45 cm de haut sont recouvertes de fleurs rouges de 4 cm.

A. haworthiodes, de 5 cm de haut seulement, a des feuilles minces, longues de 2,5 à 5 cm, couvertes de dents blanches et formant de petites rosettes denses. La hampe de 15 cm porte en général au moins une douzaine de minuscules fleurs rouges.

A. humilis (l'Aloès humble) a une rosette acaule formée de feuilles bleu-vert; parsemées de verrues blanches, ces feuilles sont longues de 2,5 à 10 cm, larges de 2 cm et bordées de dents blanches; elles se recourbent vers le haut en direction des inflorescences qui atteignent plus de 30 cm de haut et portent des fleurs jaunes de 4 cm de long. Il existe plusieurs cultivars de l'espèce dont l'un devient violet sous un éclairage brillant.

A. stans a des tiges étalées de 60 cm à 1,80 m, avec des rosettes de feuilles longues de 20 à 30 cm et larges de 7,5 cm de couleur vert pâle à vert-jaune et bordées de dents pâles et pointues. Des fleurs rouges atteignant 4 cm de long forment des épis de 45 cm.

A. variegata (l'Aloès panaché) appartient à l'une des plus belles espèces; ses feuilles triangulaires qui varient du vert brillant au bleu-vert, mesurant 15 cm de long et 4 cm de large, sont zébrées de bandes entrecroisées gris-vert à blanches et bordées de dents rouges et dures. Les rosettes de la plante atteignent 30 cm de haut et 15 cm de diamètre. Les hampes, qui ont jusqu'à 30 cm de haut, portent des fleurs rouges de 4 cm.

La plupart des aloès ont une croissance de moyenne à lente; certaines espèces fleurissent lorsqu'elles ont environ trois ans, mais il en existe d'autres qui ne fleurissent pas avant d'avoir cinq ans ou même davantage.

Pour la culture en intérieur, les meilleures espèces sont l'Aloès à arêtes, l'Aloès humble, le panaché et *A. haworthiodes.* Les aloès sont également très décoratifs dans des conteneurs sur des terrasses, en pleine terre et dans des jardins de rocaille. *A. stans* se plante en massifs pour façonner un paysage et *A. brevifolia* fait, comme l'Aloès humble, un beau tapis de verdure.

CULTURE. La plupart des aloès ont besoin, en appartement, d'au moins quatre heures d'ensoleillement ou de douze à quatorze heures de lumière artificielle intense, mais poussent assez bien sous une forte lumière indirecte. L'Aloès à arêtes, *A. haworthiodes* et l'Aloès panaché ne supportent en été qu'une lumière solaire tamisée ; pendant la période végétative, il leur faut une température de 10 à 13°C la nuit et de 20 à 22°C le jour. En hiver, la température idéale est de 7 à 10°C la nuit, de 16 à 18°C le jour. Toutes les espèces demandent une humidité faible.

Du printemps à l'automne, laissez le sol devenir sec au toucher et arrosez alors abondamment. Un arrosage modéré permet de limiter la croissance des grandes espèces. En hiver, n'arrosez que ce qu'il faut pour empêcher les plantes de se flétrir. Mais les plantes miniatures qui ont atteint le stade de la floraison doivent recevoir un peu plus d'eau.

Mettez aux plantes établies, à la reprise de la végétation, une cuillerée à café de poudre·d'os pour un pot de 10 à 15 cm. Ne fertilisez pas pendant la première année les plantes fraîchement rempotées. En général, les aloès n'ont pas souvent besoin d'être changés de pot ; si cela s'avère nécessaire, parce qu'ils sont trop à l'étroit, faites-le au moment de la reprise de la végétation. Employez un mélange de compost ordinaire pour plantes en pot et de sable granuleux, plus une cuillerée et demie à soupe de poudre d'os et autant de calcaire broyé par 4,5 litres. Remplacez tous les deux ou trois ans la couche superficielle de sol des plantes cultivées en bacs ou en conteneurs. *A. haworthiodes,* bien qu'étant de petite taille, a d'importantes racines qui nécessitent un pot assez grand. Ne rempotez jamais les aloès plus profondément qu'ils ne l'étaient.

Les aloès peuvent être cultivés à l'extérieur dans les régions où les gelées d'hiver sont négligeables. Mettez-les en plein soleil, sauf l'Aloès humble qui a besoin d'un peu d'ombre. Ces plantes prospèrent dans une humidité faible à modérée. Le sol doit être composé de sable gras bien drainé, amendé avec du calcaire broyé et de la poudre d'os avant la plantation. Mettez de la poudre d'os chaque année à la reprise de la végétation.

La multiplication se fait en toute saison à partir des rejets, ou de graines à la fin de l'hiver ou au printemps. Les aloès à tige peuvent être reproduits par bouturage de fragments de tige.

ALOE VERRUCOSA. Voir *Gasteria*

APOROCACTUS
A. flagelliformis, appelé aussi *Cereus flagelliformis* (Queue-de-rat)
Taille : jusqu'à 90 cm de long et 2,5 cm d'épaisseur à l'âge adulte
Plante mexicaine accrochée aux arbres ou dans les crevasses des rochers en montagne. *A. flagelliformis* est l'une des cactées qui se cultivent le plus facilement. Ses tiges cylindriques vertes s'accroissent au rythme de 7 à 10 cm par an ; elles ont de huit à quinze côtes étroites et arrondies abondamment couvertes d'épines courtes et minces de teinte jaune ou brun rougeâtre. Les fleurs roses à rouges en forme d'entonnoir, longues de 5 à 8 cm, apparaissent au printemps ; elles restent épanouies pendant trois ou quatre jours, se fermant la nuit et s'ouvrant dans la journée. Quand elles sont fanées, de petites baies rouges apparaissent. La Queue-de-rat est particulièrement mise en valeur sur un socle ou en suspension, et elle se laisse facilement greffer sur une cactée dressée. Il existe des cultivars donnant des fleurs d'un rose ou d'un rouge plus éclatant.
CULTURE. La Queue-de-rat a besoin d'au moins quatre heures d'ensoleillement ou d'au moins douze heures d'éclairage artificiel par jour pour s'épanouir parfaitement, mais elle pousse assez bien sous une lumière indirecte intense comme celle réfléchie par des murs clairs. La lumière, en période du repos de la végétation comme pendant la période de reprise de la végétation, est le facteur essentiel de la floraison. Du printemps à l'automne, une température de 18 à 21°C la nuit et de 24°C et plus le jour est

QUEUE-DE-RAT
Aporocactus flagelliformis

Ariocarpus fissuratus

Astrophytum asterias

idéale. En hiver, elle doit être de 10 à 13°C la nuit et de 18°C au plus le jour, encore que la plante supporte une atmosphère plus froide. Mais, à la fin de l'hiver ou dès le début du printemps, il est préférable de la mettre dans un endroit plus chaud et bénéficiant d'un meilleur ensoleillement.

Le meilleur mélange pour la cultiver est composé en parts égales de compost ordinaire pour plantes en pot et de sable granuleux plus une cuillerée et demie à soupe de calcaire broyé et autant de poudre d'os par 4,5 litres. Du printemps à l'automne, laissez le sol devenir presque sec entre les arrosages abondants ; en hiver, donnez juste assez d'eau pour éviter la flétrissure. Les plantes établies doivent être fertilisées à chaque printemps avec de la poudre d'os, mais celles qui viennent d'être rempotées ne doivent pas recevoir d'engrais la première année. Un rempotage chaque année au début du printemps hâte la croissance, mais il n'est indispensable que si la plante se trouve à l'étroit dans le récipient qu'elle occupe.

La multiplication s'effectue à partir de graines ou par bouturage des tiges en été.

ARIOCARPUS
A. fissuratus
Taille : de 5 à 15 cm de diamètre pour les plantes adultes

Cette cactée rare est très appréciée par les amateurs, mais difficile à cultiver. Originaire des déserts du Sud du Texas et du Nord et du centre du Mexique, elle porte des tubercules charnus, semblables à des feuilles, qui forment des rosettes. Les fleurs, situées près du centre de la plante, s'ouvrent le matin et se ferment chaque soir ; elles tiennent de trois à quatre jours. Le fruit charnu, de 1 à 2,5 cm de long, varie de la couleur blanchâtre au rose pâle quand il est mûr. *A. fissuratus* atteint 15 cm de diamètre et porte des fleurs larges de près de 5 cm.

CULTURE. *A. fissuratus* se cultive le mieux en pot individuel à l'intérieur. Il lui faut au moins quatre heures de soleil ou douze heures au moins d'éclairage artificiel par jour. Maintenez une faible humidité et une température de 10 à 13°C la nuit et de 18 à 24°C le jour. Si on garde les plantes bien au sec, elles peuvent supporter l'hiver une température descendant à 7°C.

Le sol doit être très poreux et comprendre deux tiers de sable granuleux pour un tiers de terreau de feuilles ou de compost ordinaire pour plantes en pot.

Arrosez encore moins que les autres cactées : en été, seulement les jours chauds et ensoleillés quand le sol est complètement sec, en hiver uniquement quand la plante commence à se flétrir. Mettez au printemps une cuillerée à café de poudre d'os pour un pot de 10 à 15 cm.

Bien que de petite taille, *A. fissuratus* a de grosses racines tubéreuses qui prennent beaucoup de place mais, si vous choisissez un récipient assez grand, le rempotage est rarement nécessaire. A l'état sauvage, seule sa partie supérieure apparaît mais, en pot, plantez légèrement au-dessus du niveau du sol pour éviter le pourrissement.

La multiplication se fait par bouturage.

ASTROPHYTUM
A. asterias (Astrophytum étoilé) ; *A. capricorne* ; *A. myriostigma* (Bonnet-d'évêque) ; *A. ornatum* (Astrophytum décoré)
Taille : de 4 à 35 cm de haut

Ces cactées, petites et replètes, poussent dans les déserts du Mexique et le long du Rio Grande au Texas. Les cinq à huit côtes de la tige, arrondies ou à arêtes vives, sont en général recouvertes de petites taches blanches et portent sur leur ligne centrale des aréoles laineuses largement espacées. Des fleurs jaunes en forme de marguerite de 4 à 8 cm de diamètre, dont certaines ont le centre rouge, surgissent au sommet de la plante en été. Elles tiennent en général une semaine au moins et sont remplacées par des fruits sphériques écailleux. Il existe de nombreux hybrides et cultivars de ce genre.

A. asterias (l'Astrophytum étoilé), de forme sphérique et couvert de taches blanches, n'a que 4 cm de haut pour 7 à 8 cm de diamètre ; il possède huit côtes arrondies et aplaties, n'a pas d'épines mais de nombreuses aréoles laineuses également réparties sur les crêtes des côtes. Les fleurs de 4 cm sont jaunes avec un centre rouge.

A. capricorne a la forme d'une colonne effilée qui atteint, après une lente croissance, 10 cm d'épaisseur et 25 cm de haut. Il a en général huit côtes profondes dont, chez certains cultivars, la couleur verte est en partie masquée par des taches blanches en relief. Chacune de ses aréoles possède jusqu'à dix épines parcheminées vrillées et recourbées, longues de 8 cm, qui sont très fragiles ; on doit donc manipuler la plante avec précaution pour ne pas les briser. Les fleurs jaunes soyeuses, de 8 cm, ont le centre teinté de rouge.

A. myriostigma (le Bonnet-d'évêque), qui atteint 60 cm de haut et 20 de diamètre dans son habitat naturel, a en général, lorsqu'il est cultivé, la forme d'une sphère de 5 à 20 cm. Ces cinq côtes profondes sans épines sont couvertes de petits points gris très fins, et leurs arêtes portent des aréoles laineuses brunes. Les fleurs jaunes ont 6 cm de long.

Il en existe plus de 75 variétés qui sont sûrement des hybrides entre cette espèce et d'autres, en particulier *A. ornatum*.

A. ornatum (l'Astrophytum décoré) possède huit côtes disposées en spirale et atteint 15 cm de diamètre et parfois plus de 30 cm de haut. Mouchetée de points argentés en relief, la plante est garnie de touffes d'épines jaunes, dures, recourbées et aiguës, de 3 cm environ de long. Ses fleurs remarquables, jaune vif, ont jusqu'à 8 cm de diamètre.

Ces espèces ont une croissance lente ; multipliées à partir de graines, il leur faut de quatre à cinq ans pour atteindre de 5 à 8 cm de diamètre et commencer alors à fleurir. Ce sont des plantes d'intérieur appréciées parce qu'elles demandent relativement peu de soins et fleurissent. On peut les cultiver en pots individuels ou dans des jardins japonais.

CULTURE. En appartement, les astrophytums prospèrent quand ils ont au moins quatre heures de soleil ou au moins douze heures de lumière artificielle intense par jour, mais ils poussent assez bien sous une forte lumière indirecte. Un ensoleillement intense en été peut les endommager. Du printemps à l'automne, la température à conseiller est de 18 à 21 °C la nuit et de plus de 24 °C le jour. En hiver, la température idéale est de 7 à 10 °C la nuit et de 18 °C au maximum le jour. Il est essentiel de maintenir ces plantes dans une humidité faible.

Au printemps et en automne, il faut laisser le sol sécher presque complètement avant d'arroser abondamment. En été, si le temps est chaud et ensoleillé, arrosez quand le sol est devenu moyennement sec. En hiver, donnez-leur juste assez d'eau pour qu'elles ne se flétrissent pas ; plus il fait frais, moins il faut arroser. Une attention particulière doit être accordée aux plantes âgées de moins de trois ans ou ayant un diamètre inférieur à 5 cm, car l'excès d'eau risque de leur être préjudiciable au point de les faire pourrir.

Chaque printemps, mettez une cuillerée à café de poudre d'os par pot de 10 à 15 cm aux plantes établies ; ne fertilisez pas durant la première année les plantes nouvellement rempotées. Utilisez un mélange en parts égales de compost ordinaire pour plantes en pot et de sable granuleux ; ajoutez, par 4,5 litres de mélange terreux, une cuillerée et demie à soupe de poudre d'os et autant de calcaire broyé. Rempotez au printemps les plantes qui se trouvent à l'étroit dans le récipient qu'elles occupent.

La multiplication se fait à partir de graines qu'il convient de manipuler avec précaution.

B

BEAUCARNEA. Voir *Nolina*
BORZICACTUS Voir *Oreocereus*

BONNET D'ÉVÊQUE
Astrophytum myriostigma

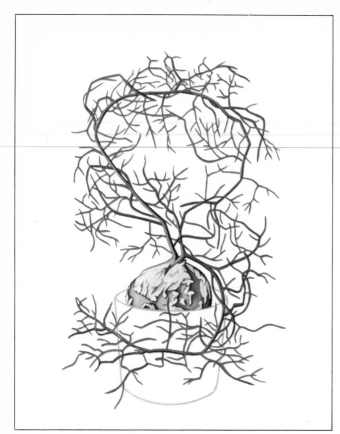

Bowiea volubilis

Caralluma joannis

BOWIEA

B. volubilis, appelé aussi *Schizobasopsis volubilis*

Taille : tiges grimpantes de 2 m de long

Cette plante grasse d'Afrique australe, que certains spécialistes appellent *Dioscorea,* appartient à la famille des liliacées. C'est une plante grimpante peu commune : elle a des bulbes verts èn forme d'oignon de 7 à 12 cm, qui se développent près de la surface du sol et d'où partent de minces tiges vertes entrelacées de 1 à 2 m de long à ramifications multiples. Des fleurs vert blanchâtre en forme d'étoile à six branches de 12 mm de diamètre apparaissent à l'extrémité des rameaux à la fin de l'hiver. Chaque année, durant la période active de la végétation, qui va de l'automne au printemps, les tiges atteignent leur plein développement puis meurent tandis que le bulbe reste au repos au printemps et en été. On cultive cette plante à l'intérieur généralement en panier suspendu.

CULTURE. *Bowiea* a besoin d'au moins quatre heures de soleil ou douze heures de lumière artificielle très intense par jour, mais pousse assez bien sous un bon éclairage indirect. Assurez-lui une température de 10 à 13°C la nuit, de 20 à 22°C le jour en hiver ; pendant la période d'été, maintenez-la si possible à une température de 4 à 7°C la nuit et de 10 à 13°C le jour ; ou alors, laissez-la à plus de 18°C toute l'année.

Utilisez un mélange en parts égales de compost ordinaire pour plantes en pots et de sable granuleux plus une cuillerée et demie à soupe de calcaire broyé et autant de poudre d'os par 4,5 litres. Pendant la période active de la végétation, laissez le sol devenir moyennement sec entre les arrosages abondants. Réduisez ceux-ci quand les rameaux jaunissent et arrêtez-les complètement pendant la période du repos de la végétation.

A l'automne, au moment de la reprise de la végétation, mettez une cuillerée à café de poudre d'os par pot de 10 à 15 cm de diamètre. Les bowieas ont rarement besoin d'être changés de pot mais, lorsque cela devient nécessaire, faites le rempotage à l'automne en n'enterrant qu'un quart du bulbe.

La multiplication se fait à partir de graines.

BRYOPHYLLUM. Voir *Kalanchoe*

C

CARALLUMA

C. joannis ; C. laterita

Taille : 10 cm de haut

Ces petites plantes grasses sont originaires des régions arides bordant la Méditerranée, mais on les trouve aussi en Inde, en Arabie et jusqu'en Afrique australe. Dans leur habitat naturel, elles poussent en touffes sur les terrains rocheux ou sablonneux, en général à l'ombre d'arbustes. Ramifiées à partir du pied, les tiges grises ou vertes généralement dépourvues de feuilles sont courtes, de section carrée de 2 cm de côté, et pourvues de dents émoussées. Les fleurs charnues de 3 mm à 12 cm de diamètre sont disposées isolément ou en bouquets.

C. joannis porte des bouquets de fleurs en cloche jaune olive à pois rouges de 2 à 3 cm environ de diamètre.

C. laterita a des fleurs aplaties disposées en petits bouquets, plus grandes puisqu'elles atteignent de 7 à 8 cm. Ces fleurs ont des lobes larges, rouge brique et bordés de longs poils. La floraison a lieu en été à l'extérieur ou en serre ; elle se produit rarement en appartement. Les plantes multipliées à partir de graines fleurissent en général au bout de deux ou trois ans. Reproduites par bouturage, elles peuvent donner des fleurs la première année. Les deux espèces de carallumas, faciles à cultiver à l'intérieur, font très bon ménage en jardin japonais avec les cactées et autres plantes grasses.

CULTURE. Les carallumas poussent bien sous une lumière solaire indirecte ou tamisée. Pendant la période active de la végétation, il leur faut une température de 18 à 21°C la nuit et de

24 à 29°C le jour. En hiver, la température doit être de 4 à 7°C la nuit et de 13 à 16°C le jour.

Ces plantes prospèrent dans un mélange en parts égales de compost ordinaire pour plantes en pot et de sable granuleux avec l'addition d'une cuillerée et demie à soupe de poudre d'os et d'autant de calcaire broyé par 4,5 litres de mélange terreux. Celui-ci doit être sec au toucher avant un arrosage abondant, mais maintenu légèrement humide quand il fait trop chaud.

En hiver, n'arrosez que lorsque la plante commence à se flétrir. Une plante établie occupant un pot de 15 cm de diamètre doit être fertilisée chaque printemps avec une cuillerée à café de poudre d'os. Mais ne mettez aucun engrais durant la première année aux plantes fraîchement rempotées. Quant aux spécimens qui se trouvent à l'étroit dans le récipient qu'ils occupent, rempotez-les vers la fin de l'hiver.

Les carallumas peuvent être multipliés à partir de graines fraîches qui germent en moins d'une semaine si elles sont dans un milieu humide et chaud. Ils se reproduisent également par bouturage au début de l'été. Veillez à laisser sécher les boutures deux semaines environ avant de les mettre dans le compost d'enracinement.

CARNEGIEA
C. gigantea (saguaro)
Taille : jusqu'à 18 m de haut et 60 cm d'épaisseur

Cette cactée, qui compte parmi les plus grandes et dont la croissance est l'une des plus lentes, est originaire du Sud-Ouest des États-Unis et du Nord-Ouest du Mexique ; elle doit son nom à l'industriel Andrew Carnegie. Elle a un tronc dressé en forme de colonne qui se ramifie vers le haut comme un candélabre et dont les tiges ou branches ont de douze à trente côtes.

Le saguaro a deux sortes d'épines ; celles de sa partie inférieure sont droites ou recourbées, grises et longues de 1 à 8 cm ; celles des jeunes pousses sont jaunes et droites. Au printemps et en été, des fleurs blanches en forme de trompette longues de 10 à 12 cm s'ouvrent le soir et se referment l'après-midi suivant. Quand elles sont fanées apparaissent des fruits rouges comestibles, de forme ovale et de 5 à 8 cm de long.

Le saguaro atteint à peu près 15 cm de haut au bout d'une dizaine d'années ; il fleurit pour la première fois à quarante ans et commence à se ramifier à soixante-quinze ans, quand il a 4,50 m de haut. Il n'atteint sa taille maximale qu'au bout de cent cinquante ans environ.

CULTURE. A l'intérieur, les plants de saguaro ont besoin de quatre à six heures de soleil ou de douze à seize heures d'éclairage artificiel intense par jour. Maintenez la température de 16 à 24°C la nuit, et bien au-dessus de 24°C le jour pendant la période active de la végétation. En hiver, la température doit être de 4 à 13°C la nuit et d'au moins 16°C le jour.

Laissez le sol devenir sec au toucher entre les arrosages complets au printemps et en été ; arrosez encore moins en hiver. Employez un mélange en parts égales de sable granuleux et de compost ordinaire pour plantes en pot. Au printemps et en été, mettez tous les deux mois aux plantes établies un fertilisant pour plantes d'appartement dilué à 50 p. 100.

Le saguaro s'adapte mal à la culture à l'extérieur. Ses racines sont trop peu profondes pour qu'il résiste au vent, et il est extrêmement sensible aux gelées soudaines qui risquent de l'endommager. Si les grandes quantités d'eau emmagasinées dans la plante gèlent, les cellules éclatent et meurent en laissant de grandes portions de tissu mort. Si l'extrémité gèle, la plante meurt ou se déforme.

Multipliez Carnegiea à partir de graines.

CARPOBROTUS
C. edulis, appelé aussi Mesembryanthemum edule (Figuier des Hottentots)
Taille : de 5 à 10 cm de haut

SAGUARO
Carnegiea gigantea

FIGUIER DES HOTTENTOTS
Carpobrotus edulis

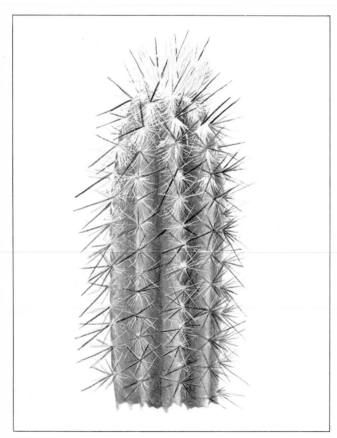

BARBE-DE-VIEILLARD
Cephalocereus chrysacanthus

Les plantes grasses de ce groupe ont de longues tiges procombantes qui s'entrecroisent en formant un tapis. Les feuilles charnues, longues de 8 à 15 cm, disposées en paires opposées soudées à la base, ont une section triangulaire. Les fleurs jaunes, roses ou violettes ressemblent à des marguerites avec leurs nombreux pétales fins et satinés qui, sous l'action du soleil, s'ouvrent grand jusqu'à un diamètre de 10 cm. Les carpobrotus poussent bien au bord de la mer où ils fournissent rapidement un bon tapis de végétation.

CULTURE. Le Figuier des Hottentots préfère le plein soleil et doit le recevoir environ six heures quotidiennement pendant l'été pour bien se développer et fleurir. En hiver, une température nocturne de 4°C lui convient. La plante demande un arrosage régulier du printemps à l'automne, et juste assez d'eau en hiver pour que ses feuilles restent dodues. On peut la cultiver en pot, en augette ou, et c'est l'idéal, en suspensions dans une serre. On peut aussi la cultiver à l'extérieur en été sur des terrasses ou dans des grands jardins de rocaille, mais il faut la rentrer en hiver. Quand ce cactus a peu de place dans la serre, le mieux est de prélever les boutures à la fin de l'été et de ne mettre que les jeunes plants à l'abri durant l'hiver.

Dans les régions où les gelées d'hiver sont faibles ou inexistantes, les Figuiers des Hottentots peuvent être entièrement cultivés à l'extérieur. En pot ou en conteneur, un compost pour plantes en pot donne, en général, de bons résultats. Un peu de fertilisant liquide toutes les deux ou trois semaines en été assurera une croissance vigoureuse. Mettez de l'engrais universel à chaque printemps aux plantes cultivées à l'extérieur.

Multipliez à partir de boutures de tiges à la fin de l'été ou au printemps.

CEPHALOCEREUS

C. chrysacanthus, appelé aussi *Pilocereus chrysacanthus*;
C. senilis, appelé aussi *Pilocereus senilis* (Barbe-de-Vieillard)
Taille : de 30 à 40 cm à l'intérieur ; de 12 à 15 m à l'état sauvage

Ces cactées très appréciées sont originaires d'une vaste région tropicale et subtropicale de l'Amérique, comprenant les Keys de Floride, les Antilles, le Mexique, l'Équateur et le Brésil. On les trouve depuis les régions chaudes et humides du bord de la mer jusqu'aux régions chaudes mais sèches de montagne. A l'état sauvage, elles peuvent atteindre de 12 à 15 m en deux cents ans environ, mais en appartement elles ne dépassent généralement pas une trentaine de centimètres.

La tige érigée en forme de colonne a des côtes profondes et des épines rapprochées, mais sa caractéristique essentielle est d'être recouverte d'une couche de poils gris ou blancs longue de 12 cm et si épaisse qu'elle cache parfois les épines. Les fleurs en forme de trompette à pétales courts et étroits, blancs, roses, rouges ou violets ne tiennent qu'une nuit. Un fruit sphérique apparaît alors que la fleur fanée est encore attachée à la plante. A maturité, il s'ouvre et dévoile une pulpe colorée et de petites fleurs noires.

C. chrysacanthus atteint de 4 à 5 m de haut à l'état sauvage. Ses tiges bleu-vert ont de neuf à douze côtes et des touffes d'épines dorées longues de 4 cm et espacées de 1 cm sous de longs poils laineux blancs. Les fleurs rouge rosé, longues de 8 cm, sont suivies par des fruits de 4 cm à peau et chair rouges.

C. senilis (la Barbe-de-Vieillard), plante d'appartement très appréciée depuis le début du siècle, atteint 15 m de haut et 30 cm de diamètre dans son habitat d'origine ; elle a jusqu'à trente côtes peu profondes, rapprochées, couvertes de poils blancs ou gris de 5 à 30 cm et d'épines jaunes longues de 4 cm. La toison laineuse formée par les poils est particulièrement épaisse sur le sommet de la plante d'où émergent des fleurs roses de 5 cm. Les fruits oblongs, de couleur rose, ont 3 cm de long. Étant donné leur croissance très lente, les jeunes spécimens de ces cactées conviennent parfaitement aux jardins japonais ou à une mise en pots individuels. Mais ces plantes ne fleurissent pas avant d'avoir atteint de 4 à 7 m, c'est-à-dire jamais lorsqu'elles sont cultivées.

CULTURE. A l'intérieur, les céphalocéreus prospèrent avec quatre heures au moins d'ensoleillement direct ou de douze à quatorze heures de lumière artificielle intense par jour, mais ils poussent assez bien sous un éclairage indirect fort. Les vieilles plantes, avec leur toison laineuse plus épaisse, supportent mieux le grand soleil que les jeunes. Au printemps, en été et en automne, la température idéale est de 18 à 21 °C la nuit, de plus de 24 °C le jour. En hiver, cette température doit être de 7 à 10 °C la nuit et de 18 °C au maximum le jour. La Barbe-de-Vieillard supporte en hiver des températures légèrement inférieures.

Les deux espèces ont besoin d'une humidité moyenne à élevée pendant la période active de la végétation, mais faible en hiver. Du printemps à l'automne, laissez le sol devenir sec au toucher avant d'arroser abondamment ; en hiver, donnez juste assez d'eau pour éviter la flétrissure.

Mettez à chaque printemps aux plantes établies une cuillerée à café de poudre d'os pour un pot de 10 à 15 cm. Ne fertilisez pas les plantes nouvellement rempotées pendant la première année.

Employez un mélange en parts égales de compost ordinaire pour plantes en pot et de sable granuleux augmenté d'une cuillerée et demie à soupe de calcaire broyé et d'autant de poudre d'os par 4,5 litres de mélange. Pour avoir une croissance plus rapide, rempotez annuellement les plantes au début du printemps. Autrement, ne rempotez au printemps dans un pot plus grand que les plantes à l'étroit. Certains horticulteurs coupent et font s'enraciner de jeunes pousses de la Barbe-de-Vieillard quand sa toison perd sa teinte argentée.

Multipliez à partir de graines fraîches ou de boutures prélevées au printemps ou en été.

CEREUS
C. peruvianus (Cierge du Pérou) ; *C. peruvianus* « Monstrosus » (Rocher vivant)
Taille : jusqu'à 12 m de haut à l'état sauvage ; de 25 à 90 cm en plante d'appartement

Vigoureuses et résistantes, ces cactées de forme cylindrique sont originaires de la partie orientale de l'Amérique du Sud ainsi que des Antilles, et on les y trouve depuis le niveau de la mer jusqu'en haute altitude. La plupart des espèces sont érigées et se ramifient pour former des plantes buissonnantes ou arborescentes.

Les côtes minces et profondes sont vert cireux ou bleu-vert, et portent des aréoles circulaires très espacées couvertes de poils laineux blanc ou marron ; les épines grises, noires ou brunes sont en forme d'aiguille. De grandes fleurs blanches, roses ou blanc-gris en forme d'entonnoir, qui s'ouvrent la nuit, sont disposées sur la partie ancienne des tiges. Les fruits comestibles, ovales ou ronds, sont d'un rouge vif brillant à chair violette, blanche ou rouge.

C. peruvianus (le Cierge du Pérou), qui atteint de 3 à 12 m de haut dans la nature, se ramifie en général en culture quand on coupe les extrémités végétatives. Les tiges atteignant plus de 10 cm d'épaisseur varient d'une couleur bleu-vert à un gris-vert ; elles ont de six à huit côtes aiguës de 5 cm de profondeur, bordées par des bouquets d'épines brunes à noires, longues de 5 cm et espacées de 2 cm. Les fleurs de 16 cm sont légèrement odorantes. Le fruit, en forme de sphère aplatie de 6 cm, est d'un jaune teinté de rouge à l'extérieur et de blanc à l'intérieur.

C. peruvianus « Monstrosus » (le Rocher vivant), résultat d'une mutation, forme une masse de rameaux sur ses tiges aux bosses irrégulières variant du vert au bleu-vert avec des épines noires ou brunes. En été, de grandes fleurs blanches s'épanouissent la nuit. La plante a une croissance lente.

Dans la nature, avec de la place pour leurs racines et un environnement favorable, les Cierges du Pérou grandissent de 30 à 60 cm par an ; à l'intérieur, ils ne grandissent que de quelques centimètres annuellement et atteignent 90 cm de haut ; ils sont très décoratifs. A l'extérieur, on peut les planter en fond de décor d'un jardin de cactées et de plantes grasses ; ils seront très beaux

CIERGE DU PÉROU
Cereus peruvianus

CÉROPÉGIE DE WOOD
Ceropegia woodii

également plantés en haie. On les utilise également beaucoup comme porte-greffe.

CULTURE. Les espèces du genre *Cereus* prospèrent à l'intérieur avec au moins quatre heures d'ensoleillement ou douze heures par jour d'éclairage artificiel intense. Les semis, toutefois, poussent mieux sous une lumière indirecte parce qu'une forte illumination risque de les brûler. Pendant la période active de la végétation, au printemps, en été et en automne, assurez aux *Cereus* une température de 16 à 21°C la nuit et de plus de 21°C le jour. En hiver, une température de 4 à 10°C la nuit et de moins de 21°C le jour est idéale. Pour les espèces originaires des Antilles, maintenez les températures dans la tranche supérieure.

Ces plantes prospèrent dans une atmosphère sèche et dans un sol constitué par un mélange en parts égales de compost ordinaire pour plantes en pots et de sable granuleux. Ajoutez par 4,5 litres de ce mélange une cuillerée à soupe et demie de calcaire broyé et autant de poudre d'os.

Du printemps à l'automne, laissez le sol devenir sec au toucher avant d'arroser à fond. En hiver, arrosez juste assez pour empêcher la flétrissure. Fertilisez les plantes établies une fois au printemps avec une cuillerée à café de poudre d'os par pot de 10 à 15 cm de diamètre. Ne mettez pas d'engrais durant la première année aux plantes fraîchement rempotées. Rempotez chaque année au début du printemps si vous voulez activer la croissance; sinon, changez au printemps le pot des plantes qui sont à l'étroit.

Certaines espèces fleurissent si on les sort en été. Pour empêcher une plante de grandir, gardez-la dans le même pot en taillant les racines chaque printemps.

Multipliez à partir de graines fraîches ou de boutures de tiges.

CEREUS FLAGELLIFORMIS. Voir *Aporocactus*
CEREUS GRANDIFLORUS. Voir *Selenicereus*
CEREUS SCHOTTII. Voir *Lophocereus*
CEREUS THURBERI. Voir *Stenocereus*

CEROPEGIA
C. woodii (Céropégie de Wood)
Taille: tiges rampantes de 90 cm de long

Les tiges minces de cette plante grasse rampante d'Afrique australe sont émises par des racines tubéreuses et elles portent des feuilles appariées en forme de cœur. En automne, des fleurs violettes de 2,5 cm apparaissent en petits bouquets à la naissance des feuilles; la floraison peut durer jusqu'à six semaines. A la fin de l'hiver, des capsules de graines se forment. Quand elles éclatent, elles projettent de petites boules pelucheuses qui ressemblent à du duvet de chardon. La Céropégie de Wood a une croissance rapide — de 50 cm à 1,20 m en une année — principalement durant le printemps et l'été. En hiver la pousse ralentit.

CULTURE. Bien que supportant une lumière assez faible, la Céropégie de Wood préfère la lumière solaire indirecte ou tamisée. Une température de 10 à 13°C la nuit et de 20 à 22°C le jour est idéale. Laissez le sol sécher moyennement entre les arrosages du printemps à l'automne; en hiver, donnez-lui juste assez d'eau pour que les feuilles ne se racornissent pas.

Mettez deux fois par mois du printemps au milieu de l'été un engrais à basse teneur en azote dilué à 50 p. 100. Rempotez au printemps les plantes à l'étroit dans un mélange en parts égales de compost ordinaire pour plantes en pot et de sable granuleux, auquel vous aurez ajouté une cuillerée et demie à soupe de calcaire broyé et d'autant de poudre d'os par 4,5 litres de mélange terreux. Ne fertilisez pas durant la première année les plantes nouvellement rempotées.

Multipliez au printemps par bouturage des tiges ou en mettant en pot les tubercules qui se forment à la naissance des feuilles.

CHAMAECEREUS
C. silvestrii (Cierge de Silvestre)
Taille: tiges atteignant 15 cm de long

CIERGE DE SILVESTRE
Chamaecereus silvestrii

Le Cierge de Silvestre est originaire de l'Ouest de l'Argentine ; ses tiges rampantes ramifiées à partir de la base ont en général 12 mm d'épaisseur. Elles sont cylindriques et ont de six à neuf côtes garnies de courtes soies blanches. Placées à la lumière vive en été, les tiges vert pâle virent parfois au violet. Des fleurs en forme d'entonnoir atteignant de 7 à 8 cm de long apparaissent au début du printemps.

CULTURE. Cette cactée doit bénéficier d'un éclairage intense toute l'année, faute de quoi elle se déforme, pousse en hauteur et pâlit. Pour assurer sa floraison, maintenez à la fin de l'automne et en hiver la température entre 7 et 13 °C. Au printemps et en été, elle doit être de 18 à 27 °C.

Le Cierge de Silvestre prospère dans un mélange en parts égales de compost ordinaire pour plantes en pot et de sable granuleux. Laissez la moitié supérieure du sol sécher entre les arrosages au printemps et en été. En automne et en hiver, quand la plante est en période de repos, arrosez juste assez pour éviter qu'elle ne se dessèche et flétrisse.

Mettez-lui une fois par mois au printemps et en été un fertilisant à haute teneur en phosphore dilué à 50 p. 100. Rempotez au printemps, mais opérez avec de grandes précautions car les tiges sont extrêmement fragiles.

Multipliez avec de petites boutures de tiges. Le Cierge de Silvestre ne donne pas de graines.

CISSUS
C. quadrangularis, appelé aussi *C. cactiformis*
Taille : tiges atteignant de 2 à 3 m de long

Ces plantes grasses grimpantes à croissance rapide sont généralement cultivées en pots suspendus ou sur des treillages auxquels elles s'accrochent par leurs vrilles. Les tiges segmentaires sont épaisses, charnues et lisses. *C. quadrangularis,* originaire d'Afrique australe, a des tiges à côtes portant des feuilles éparses longues de 5 cm, semblables à celles de la vigne. Ses fleurs rares apparaissent à la fin de l'été ou au début de l'automne en bouquets vert pâle peu fournis, portés par un court pédoncule. En cas de pollinisation, des baies rouges de la grosseur d'un pois se forment en automne.

CULTURE. *C. quadrangularis* a besoin d'un éclairage intense et d'une température ne descendant pas au-dessous de 10 °C. Il a tendance à suivre le cycle végétatif inversé de l'hémisphère austral et à être au repos en été, actif en hiver, mais ce cycle peut être modifié par la culture. Laissez le sol se dessécher presque complètement en période de repos et, en période active, maintenez-le légèrement humide ; mettez tous les quinze jours de l'engrais équilibré pour plantes d'appartement dilué à 50 p. 100.

La multiplication s'obtient par bouturage des tiges à la saison de la végétation.

CLEISTOCACTUS
C. baumannii ; C. strausii (Cierge de Strauss)
Taille : jusqu'à 2 m de haut à maturité

Ces cactées sud-américaines en forme de mince colonne produisent, lorsqu'elles atteignent 1,50 m de haut, des fleurs orange ou rouges, en forme de « S » pour *C. baumannii,* tubulaires pour *C. strausii.* Ces fleurs s'ouvrent juste assez pour laisser sortir les étamines, d'où le préfixe grec *cleisto* signifiant fermé, qui caractérise le genre.

C. baumannii a des tiges épaisses de 4 cm ramifiées à partir de la base, garnies d'aréoles rapprochées et couvertes de poils laineux jaunes et d'aiguillons jaunes à bruns d'environ 2,5 cm de long. Les fleurs ont de 5 à 7,5 cm de long. La plante a généralement besoin d'être palissée quand elle approche de sa hauteur maximale de 2 m.

C. strausii (le Cierge de Strauss) a des aréoles laineuses rapprochées et de nombreuses épines blanches, courtes, semblables à des poils. Les fleurs ont couramment 8,5 cm de long. La plante atteint à maturité de 1,50 à 2 m de haut.

Cissus quadrangularis

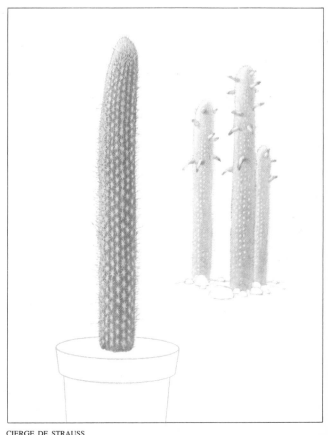

CIERGE DE STRAUSS
Cleistocactus strausii

Conophytum minutum

Conophytum springbokense

CULTURE. Les deux espèces préfèrent une lumière intense et une température de 10 à 13 °C en hiver et de 18 °C et plus en été. Cultivées à l'intérieur, ces cactées passent bien l'hiver dans une véranda fermée ou en serre froide ; en été, il faut les mettre près d'une fenêtre ouverte bien exposée à la lumière naturelle ; vous pouvez aussi les mettre à l'extérieur en plein soleil ou sous une ombre légère.

Employez un mélange alcalin composé en parts égales de compost ordinaire pour plantes en pot et de sable granuleux. Arrosez quand le mélange est presque desséché pendant la période active de la végétation du printemps et de l'été ; en hiver, mettez juste assez d'eau pour éviter la flétrissure. Épandez une fois par mois au printemps et en été un engrais riche en phosphore en suivant les instructions du fabricant.

Ces plantes sont vigoureuses et se reproduisent bien à partir de graines ou par bouturage des tiges. Des boutures de 15 cm de haut environ doubleront leur taille en un an, la plus grande partie de la croissance s'effectuant en été ; en automne et en hiver, la plante est au repos. *C. baumannii* et *C. strausii* font d'excellents porte-greffes.

CONOPHYTUM

C. framesii ; *C. minutum,* appelé aussi *Mesembryanthemum minutum* ; *C. springbokense*, appelé aussi *C. elishae*
Taille : de 1 à 2,50 m de haut

Il existe près de trois cents espèces de cette plante grasse naine originaire d'Afrique australe ; elles ont peu ou point de tiges, et des feuilles grasses charnues disposées par paires, entre lesquelles jaillissent les fleurs. Chez toutes les espèces, les vieilles feuilles se dessèchent pendant la période du repos de la végétation jusqu'à ne plus former qu'une mince capsule qui s'ouvre à la reprise de la végétation pour laisser émerger les nouvelles feuilles. Parfois, deux paires de jeunes feuilles se développent en touffes à la place d'une paire de vieilles feuilles.

C. framesii est recouvert de sortes d'excroissances en forme de poires renversées atteignant 12 mm de haut de teinte bleu-vert, patinées et parsemées de quelques points noirs. Les fleurs, de couleur crème, ont moins de 12 mm de diamètre.

C. minutum le bien nommé n'a que 16 mm de haut ; ses feuilles qui varient du gris-vert au bleu-vert forment un dôme légèrement convexe. Ses fleurs, de 12 mm, ont des pétales couleur magenta.

C. springbokense a des feuilles vertes, lisses, à deux lobes de 2,5 cm de long et 18 mm de large, et des fleurs jaune d'or atteignant 18 mm.

Dans leur pays d'origine, au cycle végétatif inversé, les conophytums grandissent et fleurissent en hiver. Mais, dans l'hémisphère Nord, ils peuvent modifier leur cycle et croître au début du printemps, la floraison se produisant alors pendant la saison estivale.

CULTURE. A l'intérieur, les conophytums demandent une lumière vive mais filtrée et une température située entre 16 et 27 °C toute l'année. Les fleurs s'ouvrent la nuit chez certaines espèces, et le jour chez la plupart des autres.

Le mélange — deux tiers de sable granuleux pour un de compost ordinaire pour plantes en pot — doit être maintenu sec de janvier à juin, avec un seul arrosage en mars pour éviter la flétrissure. En été, vaporisez un peu d'eau sur la plante une fois par semaine ; à l'automne, faites un arrosage hebdomadaire.

La multiplication se fait soit à partir de graines, soit par division des touffes.

CORYPHANTA

C. clava ; *C. missouriensis*
Taille : de 6 à 30 cm de haut et de 7,5 à 10 cm d'épaisseur

Les espèces de ces cactées sont souvent confondues avec celles du genre *Mammillaria,* mais elles diffèrent par leur inflorescence qui se produit près du sommet végétatif des nouvelles pousses et non sous celui des vieilles tiges.

C. clava est une cactée claviforme du désert à épines jaunes, brunes ou rouges, qui atteint 30 cm de haut et 10 d'épaisseur ; ses fleurs jaunes apparaissant en été ont jusqu'à 8,5 cm de diamètre.

C. missouriensis doit son nom au Missouri qui arrose la région d'Amérique où l'on découvrit la plante ; il a des tiges de 6 cm de haut et de 7,5 cm d'épaisseur. Les épines des jeunes sujets sont couvertes de poils si fins qu'on ne les distingue qu'à la loupe. Au printemps, cette cactée des prés porte des fleurs vert jaunâtre odorantes de 12 mm de diamètre.

CULTURE. A l'intérieur, les coryphantas ont besoin d'au moins quatre heures de fort ensoleillement par jour. Du printemps au début de l'automne, laissez le sol sécher complètement avant d'arroser ; en hiver, ne mettez d'eau que lorsque la plante commence à se flétrir. La meilleure température au printemps et en été est de plus de 27 °C le jour et de 16 à 21 °C la nuit. En hiver, la plante doit être tenue au frais sans que la température descende au-dessous de 4 °C.

Utilisez un mélange de deux tiers de sable granuleux et d'un tiers de compost ordinaire pour plantes en pot. Les espèces originaires du désert ont de longues racines pivotantes et le récipient doit être assez profond pour qu'elles se développent normalement. Évitez l'excès d'humidité qui pourrait provoquer la pourriture. Mettez tous les deux mois au printemps et en été un engrais à haute teneur en phosphore selon les proportions indiquées par le fabricant ; ne fertilisez pas en hiver.

C. clava et *C. missouriensis* peuvent pousser en pleine terre dans les régions où les hivers ne sont ni trop humides ni trop froids ; la région méditerranéenne leur conviendrait par exemple. Plantez dans une terre grasse très riche en sable, en plein soleil. Épandez un peu de poudre d'os une fois par an, au printemps.

La multiplication se fait à partir de graines.

COTYLEDON
C. ladismithiensis ; *C. undulata* (Cotyle ondulé)
Taille : de 30 à 60 cm de haut

Le cycle végétatif de ces plantes grasses originaires d'Afrique australe est naturellement hivernal mais, si elles sont cultivées dans l'hémisphère Nord, il se produit parfois qu'elles reviennent à un cycle estival.

C. ladismithiensis est une plante à port buissonnant atteignant 30 cm de haut ; elle est couverte de feuilles cunéiformes serrées, de 6 cm de long et de 2 cm de large. Tiges et feuilles sont gris argenté et couvertes d'un fin duvet. La plante produit des rejets rampants dont l'extrémité se redresse verticalement. Elle fleurit rarement quand on la cultive.

C. undulata (le Cotyle ondulé), a des feuilles à tige courte, minces à la base et s'épaississant vers les bords joliment ondulés ; vertes, elles sont entièrement recouvertes d'une pruine blanche. Les fleurs, longues de 2,5 cm et pendantes, sont orange ou rouges et s'ouvrent en été. Cultivé à l'intérieur, en pot de 15 cm, le Cotyle ondulé atteint 30 cm de haut.

CULTURE. Les deux espèces ont besoin de beaucoup de lumière et préfèrent une température de 18 à 27 °C toute l'année. A la période active de la végétation, généralement en automne et en hiver, laissez la moitié supérieure de la terre du pot devenir sèche au toucher entre les arrosages ; donnez moins d'eau aux plantes au repos. Veillez à ne pas mouiller le feuillage du Cotyle ondulé : l'eau ferait disparaître la pruine argentée et l'aspect de la plante en souffrirait.

Les cotyles demandent un sol meuble bien drainé, tel celui constitué par un mélange en parts égales de sable granuleux et de compost ordinaire pour plantes en pot. Pendant la période active de la végétation, mettez tous les quinze jours de l'engrais à haute teneur en phosphore dilué à 75 p. 100.

A l'extérieur, ces plantes grasses peuvent survivre dans les régions où les gelées hivernales sont négligeables, si le sol est sec.

La multiplication se fait soit à partir de graines ou encore par bouturage.

Coryphantha clava

COTYLE ONDULÉ
Cotyledon undulata

CRASSULE-EN-ARBRE
Crassula arborescens

CRASSULE PERFORÉE
Crassula perforata

COTYLEDON ARBORESCENS. Voir *Crassula*
COTYLEDON ELEGANS. Voir *Echeveria*

CRASSULA

C. arborescens, appelé aussi *Cotyledon arborescens* (Crassule-en-arbre); *C. argentea*, appelé aussi *C. obliqua* (Crassule argentée); *C. falcata*, appelé aussi *Rochea falcata* (Crassule-en-faux); *C. lycopodioides* (Crassule-à-port-de-lycopode); *C. perforata*, appelé aussi *C. perforata* (Crassule perforée)
Taille: de 5 à 90 cm de haut

Ces plantes grasses de culture facile appartiennent à une grande famille comptant près de trois cents espèces dont la plupart sont originaires d'Afrique australe.

C. arborescens (la Crassule-en-arbre) a des feuilles grises arrondies souvent bordées de rouge, des fleurs minuscules qui, blanches quand elles s'ouvrent, virent ensuite au rouge.

C. argentea (la Crassule argentée) atteint 3 m de haut dans la nature; en pot, même si elle n'a que 30 cm, elle a l'aspect d'un petit arbre. Ses cultivars ont des feuilles charnues de 2,5 à 5 cm, vert brillant ou tachées de blanc, de jaune, d'orange, de rose, de rouge et de violet. A l'extérieur, dans la région méditerranéenne, elle peut porter des fleurs blanches ou roses, mais elle fleurit rarement si elle est cultivée à l'intérieur.

C. falcata (la Crassule-en-faux) porte des fleurs rouges en corymbe de 7,5 à 10 cm de diamètre en forme de pinceau, et a de longues feuilles gris-vert réparties sur une tige de 60 cm de haut, et qui ont la forme d'une lame de faux.

C. licopodioides (la Crassule-à-port-de-lycopode) a des tiges rampantes longues de 15 à 60 cm, couvertes de petites feuilles en forme d'écailles étroitement imbriquées et disposées en quatre rangées. De minuscules fleurs blanches apparaissent à l'aisselle des feuilles.

C. perforata (la Crassule perforée) atteint 60 cm de haut; elle porte des feuilles pointues de 2,5 cm disposées par paires comme un collier autour des tiges dressées. Dans les régions très chaudes et les zones subtropicales, les crassules fleurissent à l'extérieur du milieu de l'hiver au début du printemps; mais, à l'exception de la Crassule-en-faux, elles fleurissent rarement en appartement, ce qui ne les empêche pas d'être fort appréciées pour leur forme et leur feuillage.

CULTURE. Les crassules prospèrent sous un éclairage dispensé toute l'année, mais la lumière solaire tamisée ou une lumière indirecte brillante, comme celle réfléchie par des murs clairs, suffit à les maintenir en bonne santé. Utilisez pour toutes les espèces un mélange en parts égales de sable granuleux et de compost ordinaire pour plantes en pot.

Assurez-leur une température de 20 à 22°C le jour et de 10 à 13°C la nuit. Maintenez-les au sec et au frais durant la période dormante hivernale.

Pendant la période active de la végétation qui va du printemps à l'été, maintenez le sol très humide en arrosant abondamment de sorte que l'eau déborde du pot dans la soucoupe; videz celle-ci après l'arrosage pour éviter que les racines ne pourrissent. Mettez tous les quinze jours, au printemps et en été, un engrais à haute teneur en phosphore dilué à 75 p. 100. Rempotez quand cela s'avère nécessaire, sans vous soucier de la saison; mais pensez que les crassules aiment bien être à l'étroit.

La multiplication se fait en toute saison par bouturage des tiges ou des feuilles.

CRYOPHYTUM

C. crystallinum, appelé aussi *Mesembryanthemum crystallinum* (Ficoïde glaciale)
Taille: 7,5 cm de haut

Plus connues sous le nom de *Mesembryanthemum*, ces plantes grasses généralement procombantes forment un tapis avec leurs feuilles ovales et ondulées et leurs fleurs semblables à des marguerites aux nombreux pétales filiformes. Les feuilles, longues de 10 cm, sont recouvertes de granules scintillants comme des cristaux de glace. Les fleurs qui varient du blanc au rougeâtre, de 2,5 cm de diamètre, apparaissent en été.

CULTURE. La Ficoïde glaciale se cultive bien en plante annuelle à l'extérieur où elle résiste sans trop de difficulté. Il lui faut un emplacement ensoleillé et un sol bien drainé mais fertile, enrichi avant la plantation — pour que ce soit parfait — de compost de jardin ou de terreau de feuilles bien fait et d'engrais universel.

Plantez les graines au printemps de manière clairsemée et peu profondément dans du compost à semences, et maintenez-les à une température de 16 à 18°C. Quand les semis sont assez grands, mettez-les dans des boîtes remplies de compost ordinaire pour plantes en pot à intervalles de 4 cm ; ne laissez pas la température descendre au-dessous de 10°C la nuit. Vers la fin du printemps, mettez les semis en châssis froid pour les fortifier, et transplantez-les à leur emplacement définitif quand il n'y a plus de risques de gelées tardives. Vous pouvez aussi cultiver la Ficoïde glaciale en pot en serre froide où elle fleurira. Mettez-lui alors tous les quinze jours du fertilisant liquide selon la concentration indiquée par le fabricant.

On peut récolter les feuilles de la Ficoïde glaciale pour les consommer en salade.

CYLINDROPUNTIA. Voir *Opuntia*

D

DIOSCOREA. Voir *Bowiea*

DOROTHEANTHUS
D. bellidiformis, appelé aussi *D. criniflorus, Mesembryanthemum bellidiforme* et *M. criniflorum*
Taille : 5 cm de haut

Bien qu'on connaisse dix types différents de *Dorotheanthus*, on n'en cultive guère qu'un seul. Ce sont des plantes annuelles à croissance lente ou formant un tapis, avec des feuilles étroites et charnues, des fleurs éclatantes qui ressemblent à des marguerites.

D. bellidiformis a des feuilles presque cylindriques de 2,5 à 7,5 cm de long, couvertes de petites granulations étincelantes ressemblant à du sucre en poudre. Les fleurs de 4 cm de diamètre, rouges, roses, blanches, orange, jaunes ou bicolores, sont en général très abondantes tout l'été.

CULTURE. Pour être bien en valeur, le *Dorotheanthus* doit être cultivé en jardin de rocaille ou en plate-bande pendant l'été dans un jardin plus classique ; il lui faut un emplacement bien ensoleillé et un sol bien drainé et moyennement fertile. Si le sol est pauvre, vous pouvez l'amender avec du compost de jardin bien fait, du terreau de feuilles, de la tourbe et de la poudre d'os.

Semez de manière clairsemée et peu profondément à l'emplacement définitif, à la fin du printemps ou quand il n'y a plus de risque de gelées tardives. Quand les semis ont leur première paire de vraies feuilles, espacez-les de 10 à 15 cm les uns des autres.

Dans les régions froides, ou si vous voulez prolonger la vie de la plante, semez en châssis sous verre à 16 ou 18°C au début du printemps ; repiquez les plantes à 4 cm d'intervalle dans des boîtes de compost ordinaire pour plantes en pot. Fortifiez-les en châssis froid et transplantez-les au jardin quand tout risque de gelée est écarté.

DROSANTHEMUM
D. hispidum, appelé aussi *Mesembryanthemum hispidum*
Taille : jusqu'à 60 cm de haut, mais généralement moins de 30 cm

De culture facile et ayant une floraison abondante, ces plantes grasses forment des tapis ou des monticules avec leurs tiges minces portant des feuilles appariées étroites recouvertes de granulations brillantes. Les fleurs, semblables à des marguerites,

Dorotheanthus bellidiformis

s'ouvrent les unes après les autres tout au long de l'été.

D. hispidum peut atteindre 60 cm de haut et jusqu'à 90 cm d'envergure, mais il est généralement plus petit, surtout en plante annuelle multipliée par semis de graines ou par bouturage. Les feuilles cylindriques ont jusqu'à 2,5 cm de long; elles sont vert pâle ou teintées de rouge et disposées en paires largement espacées. Les fleurs, soyeuses, violet foncé, de 3 cm de diamètre, sont isolées ou groupées par deux ou trois.

CULTURE. Pendant la période active de la végétation, *D. hispidum* exige au moins six heures de lumière directe pour prospérer et bien fleurir. On peut le cultiver en pots remplis de compost *ad hoc* pendant toute l'année, ou en pleine terre sur un emplacement bien ensoleillé dans un sol fertile et bien drainé, quand il n'y a plus de risques de gelées. Fertilisez les plantes en pot toutes les deux ou trois semaines en été pour leur donner de la vigueur. En hiver, arrosez juste assez pour éviter la flétrissure des feuilles, et maintenez une température minimale de 4°C la nuit. Rempotez tous les ans à la fin de l'hiver ou au début du printemps et coupez alors à la moitié ou aux deux tiers toutes les tiges folles. Jetez les plantes âgées de trois ans.

Épandez de la poudre d'os à la surface du sol avant la plantation en pleine terre; si le sol est pauvre, incorporez-y à la fourche-bêche du terreau de feuilles ou du compost de jardin bien fait.

Multipliez par bouturage à la fin de l'été ou au printemps, ou à partir de graines que vous sèmerez au printemps par une température de 16 à 18°C.

E

ECHEVERIA

E. agavoides (Échevéria-à-port-d'agave); *E.* x «Ballerina»; *E. derenbergii*; *E. desmetiana*, appelé aussi *E. peacocki*; *E. elegans*, appelé aussi *Cotyledon elegans*; *E. harmsii*, appelé aussi *Oliveranthus elegans*
Taille: de 5 à 25 cm de diamètre

Poussant à l'état sauvage du Texas à l'Argentine, ces plantes grasses acaules portent souvent leurs feuilles en rosettes très décoratives et peuvent être soit mises en pot, soit, dans les régions plus chaudes, dans des jardins de rocaille ou des massifs de fleurs. Les espèces varient considérablement de forme et de texture, et certaines projettent parfois de minces tiges portant à leur extrémité de petits bouquets de fleurs en cloche.

Les feuilles de *E. agavoides* (l'Échevéria-à-port-d'agave) sont triangulaires, charnues, vertes à pointe rouge et disposées en rosettes serrées.

Le cultivar *E.* x «Ballerina» ressemble presque à une plante à fleurs avec ses feuilles festonnées aux tons allant du gris-bleu au rose, et déployant, à partir d'une base étroite, leurs bords ondulés.

E. derenbergii a des feuilles gris-vert souvent bordées de rouge; ses fleurs orange en bouquet sont portées par une tige prenant naissance à l'aisselle des feuilles.

E. desmetiana a de courtes tiges et des feuilles bleu-argent à bords rouges, longues de 5 cm et larges de 3 cm; ses fleurs sont de couleur violette.

E. elegans a des feuilles recouvertes d'une couche protectrice blanche et cireuse.

E. harmsii est un arbrisseau atteignant 50 cm de haut; il a des feuilles étroites, longues de 4 cm, et, en été, de grandes fleurs rouges en cloche atteignant 3 cm de long dont l'intérieur jaune forme à l'extrémité de la corolle un anneau, créant un spectaculaire contraste de couleurs.

CULTURE. S'ils sont cultivés à l'intérieur, les échevérias prospèrent avec quatre à six heures d'ensoleillement ou quatorze à seize heures par jour de lumière artificielle intense. Mais ils peuvent se contenter de lumière solaire tamisée ou réfléchie par des murs blancs.

A l'intérieur, assurez-leur une température de 18 à 21°C la nuit et de 21 à 29°C le jour au printemps et en été. En automne et en

ÉCHEVÉRIA-A-PORT-D'AGAVE
Echeveria agavoides

hiver, il leur faut de 10 à 18°C la nuit et de 18 à 24°C le jour.

Du printemps à l'automne, laissez le sol devenir presque sec entre les arrosages ; en hiver, mettez juste ce qu'il faut d'eau pour éviter que les plantes ne se flétrissent.

Ne fertilisez pas pendant un an les plantes que vous avez nouvellement mises en pot ; quand elles sont bien établies, mettez-leur, une fois au printemps, une solution d'engrais pour plantes d'appartement diluée à 50 p. 100. Rempotez en toute saison les plantes qui sont à l'étroit dans leur pot ou qui poussent d'une manière désordonnée. Pour les autres, faites les rempotages au début du printemps.

Utilisez un mélange à parts égales de sable granuleux et de compost ordinaire pour plantes en pot en ajoutant une cuillerée à soupe et demie de calcaire broyé et autant de poudre d'os par 4,5 litres de mélange terreux. Les échevérias poussent bien à l'extérieur en été, mais il faut les protéger soigneusement des gelées même très faibles. Multipliez de préférence au printemps à partir des rejets qui se détachent facilement de la plante, ou par bouturage des tiges ou des feuilles.

ECHINOCACTUS
E. grusonii ; E. ingens. Voir aussi *Ferocactus et Gymnocalycium*
Taille : de 15 cm à plus de 1 m de diamètre

Dans les déserts du Mexique et du Sud-Ouest des États-Unis, les échinocactus prospèrent sous le soleil brûlant. Ils sont sphériques ou cylindriques, à côtes, recouverts de nombreuses épines, et produisent des fleurs qui apparaissent en cercle autour de leur couronne laineuse.

E. grusonii est presque parfaitement sphérique avec de vingt et une à trente-sept côtes épaisses qui se développent quand la plante a trois ou quatre ans. Il croît très lentement : il lui faut dix ans pour avoir un diamètre d'une quinzaine de centimètres, mais celui-ci peut atteindre 90 cm avec le temps. Le corps de la plante est vert avec des épines dorées recourbées ; la couronne laineuse est jaune. Les fleurs jaunes, de 6 cm environ, n'apparaissent que lorsque *E. grusonii* a 30 cm de diamètre, et on le cultive donc surtout pour sa forme et ses couleurs brillantes.

E. ingens atteint une hauteur et un diamètre de 1 à 1,50 m. A maturité, il possède une cinquantaine de côtes ; il est bleu-vert et garni de touffes d'épaisses épines brunes. Quand il atteint 60 cm de haut, il produit de petites fleurs jaunes qui sont disposées sur sa couronne.

CULTURE. Les deux espèces ont besoin d'au moins six heures d'ensoleillement par jour. Maintenez la température entre 10 et 13°C la nuit et à 24°C au moins le jour.

Pour ces deux échinocactus, laissez à la fin du printemps et en été le sol devenir presque complètement sec entre les arrosages ; en hiver et au début du printemps, maintenez les plantes complètement au sec.

A l'époque active de la végétation, mettez-leur tous les quinze jours un engrais riche en phosphore dilué à 75 p. 100 ; ne fertilisez pas pendant l'hiver. Utilisez un compost pour plantes en pot spécialement conçu pour les cactées et ajoutez une cuillerée à soupe et demie de poudre d'os ou de calcaire broyé par 4,5 litres du mélange spécial.

Pour multiplier les échinocactus, semez les graines à la fin du printemps ou au début de l'été. Les plantes en pot profitent mieux si vous les sortez pour les exposer au grand soleil pendant l'été.

ECHINOCEREUS
E. cinerascens ; E. dasyacanthus ; E. engelmanii (Cierge d'Engelmann) ; *E. pectinatus ; E. reichenbachii,* appelé aussi *E. pectinatus* var. *reichenbachii ; E. reichenbachii* var. *allospinus*
Taille : jusqu'à 40 cm de haut

Largement répandus dans l'Ouest des États-Unis et au Mexique, certains échinocéreus sont très résistants. La plupart des espèces fleurissent quand la plante est encore petite, et les fleurs sont souvent remarquables.

Echeveria x « Ballerina »

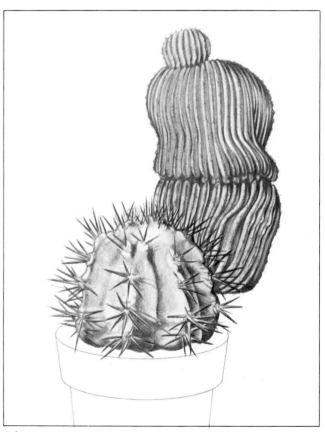

Echinocactus ingens

CIERGE D'ENGELMANN
Echinocereus engelmannii

E. cinerascens forme généralement des touffes dont les tiges atteignent 30 cm de long et 5 cm d'épaisseur, et sont couvertes de minces épines blanches ; les fleurs, dont la couleur peut varier du rose au violet, ont 7,5 cm de long et s'ouvrent au printemps.

E. dasyacanthus est une plante du désert à tige cylindrique vert pâle ; unique quand elle est jeune, elle a tendance à former des touffes quand elle arrive à maturité. Elle a jusqu'à vingt et une côtes couvertes d'épines allant du blanc au brun en passant par le jaune. Elle atteint de 20 à 40 cm de haut et de 7,5 à 10 cm d'épaisseur. Cultivée, elle produit généralement des fleurs qui ont quelque 12 cm de diamètre de couleur jaune, rose et rouge.

E. engelmanii (le Cierge d'Engelmann) pousse dans les terrains sablonneux et rocheux de l'Arizona, du Sud de la Californie et du Nord du Mexique. Ses tiges atteignent 25 cm de haut et 5 cm d'épaisseur, et possèdent de onze à quatorze côtes peu profondes couvertes d'épines acérées blanches, jaunes ou roses dont certaines ont 5 cm de long. La plante forme des touffes de douze tiges ou plus ; les fleurs, de 7 cm de diamètre, sont violettes.

E. pectinatus pousse dans les prairies et les déserts du Mexique, de l'Est de l'Arizona et de l'Ouest du Texas. Ses tiges cylindriques, trapues, ont de 10 à 30 cm de haut et peuvent avoir jusqu'à 10 cm de diamètre ; elles sont couvertes d'épines, portent une vingtaine de côtes et sont zébrées de bandes jaunes et roses, plus roses sur les jeunes plantes ; la tige est unique ou a deux ou trois rameaux. Quand elle atteint de 7 à 8 cm de haut, la plante peut produire des fleurs roses odorantes ayant 8 cm de diamètre.

E. reichenbachii peut pousser en touffe ou avoir une tige unique atteignant 20 cm de haut couverte d'un réseau d'épines en forme d'aiguille, dont la couleur varie du gris au jaune paille. Il a des fleurs qui vont du rose au violet et atteignent de 7 à 8 cm de diamètre.

E. reichenbachii var. *albospinus*, appelé parfois *E. baileyi*, a des aiguillons qui sont roses à la base et rouges, blancs, bruns ou jaunes à l'extrémité.

CULTURE. Cultivées à l'intérieur comme à l'extérieur, les échinocéreus ont besoin de soleil toute l'année, six heures par jour à la saison de la végétation et quatre heures en hiver. Ils préfèrent une température nettement supérieure à 18 °C en été et de 7 à 13 °C en hiver. Certaines espèces survivent aux gelées à condition que le sol soit très sec.

En pot, le sol doit devenir presque sec au toucher entre les arrosages au printemps et en été, et complètement sec en hiver pendant la période du repos de la végétation.

Mettez tous les mois, au printemps et en été, de l'engrais riche en phosphore dilué à 50 p. 100. Mettez en pot au printemps dans un mélange très poreux composé à parts égales de sable granuleux et de compost pour plantes en pot.

Multipliez *Echinocereus* à partir de graines.

ECHINOFOSSULOCACTUS
E. multicostatus, appelé aussi *Stenocactus multicostatus*
Taille : jusqu'à 15 cm de haut

Plus d'une centaine de côtes profondes, minces et ondulées, donnent un aspect très particulier à cette cactée presque sphérique, originaire des montagnes ensoleillées du Mexique. Dépassant rarement 15 cm de haut, l'échinofossulocactus croît plus souvent en spécimen isolé qu'en touffes. Des fleurs blanches, aux pétales dressés ou à moitié déployés, apparaissent en été au sommet de la plante sur les nouvelles pousses. Les plantes cultivées fleurissent volontiers, mais seulement quand elles ont au moins trois ans. Chaque côte porte une ou deux aréoles à épines acérées de 1 à 8 cm de long.

CULTURE. S'ils sont cultivés à l'intérieur, les échinofossulocactus doivent recevoir une lumière intense toute l'année, de l'ordre de six heures par jour en été et de quatre heures en hiver. Ils préfèrent une température de 18 à 29 °C au printemps et en été, et de 7 à 13 °C en hiver.

Echinocereus pectinatus

Au printemps et en été, laissez le sol devenir sec au toucher avant d'arroser abondamment. En hiver, maintenez les plantes au frais et au sec, et ne les arrosez que lorsque le sol est devenu complètement sec.

Mettez, une fois par mois, au printemps et en été, un engrais à haute teneur en phosphore en suivant les instructions portées sur l'emballage. Ne fertilisez pas en hiver. Rempotez au printemps dans un mélange à parts égales de sable granuleux et de compost pour plantes en pots.

S'il est bien protégé contre l'humidité de l'hiver, l'échinofossulocactus peut rester à l'extérieur dans les régions au climat doux. Plantez-le dans du sable gras, légèrement à l'ombre. Mettez une fois par an, au cours du printemps, un engrais riche en phosphore.

ECHINOPSIS

E. aurea; *E. bridgesii*, appelé aussi *E. salmiana*; *E.* x «Haku Jo»; *E. longispina*, appelé aussi *Lobivia longispina*; *E. multiplex* (Échinopsis multiple)
Taille: jusqu'à 25 cm de haut

Résistantes, ces cactées ont une croissance rapide et, dès qu'elles ont atteint 8 cm environ, elles produisent de superbes fleurs blanches à roses, qui s'épanouissent la nuit et sont portées sur de longs tubes.

E. aurea, parfois classé dans les espèces de *Lobivia*, a une tige simple, non ramifiée, atteignant une dizaine de centimètres; cette tige est garnie d'épines en forme d'aiguille. Ses remarquables fleurs de couleur jaune et en entonnoir sont longues de 10 cm environ.

E. bridgesii (ou *E. salmiana)* existe en deux formes: l'une à tige unique qui peut atteindre jusqu'à 30 cm de haut, l'autre en touffes à tiges plus courtes. Dans les deux formes d'*E. bridgesii*, les tiges sont couvertes d'épines subulées et de fleurs blanches de 15 à 18 cm de long.

L'hybride *E.* x «Haku Jo» produit de petites sphères aux côtes profondes et aux épines de couleur rouille.

E. longispina (ou *Lobivia longispina)* est hérissé d'épines longues de 7,5 cm en forme d'aiguille, et sa tige de 25 cm de haut a de vingt-cinq à cinquante côtes ondulées. Ses fleurs ne dépassent pas 4 cm.

E. multiplex (l'Échinopsis multiple) a la forme d'une sphère à douze ou quinze côtes; elle atteint jusqu'à 20 cm de haut et porte, à la fin du printemps, des fleurs roses odorantes de 20 à 25 cm de diamètre. Ses aréoles sont garnies d'épines courbes de 2,5 cm; elles sont brunes à pointe noire.

CULTURE. Ces plantes ont besoin de quatre à six heures de soleil par jour hiver comme été, ou de douze à quatorze heures de lumière artificielle intense; mais elles se contentent au besoin d'une lumière indirecte forte, comme celle réfléchie par des murs blancs. La température doit être de 18 à 21 °C la nuit et de 24 °C le jour au printemps et en été; et de 14 à 13 °C la nuit et inférieure à 18 °C le jour pendant l'hiver.

Du printemps à l'automne, laissez le sol sécher modérément entre les arrosages qui doivent être abondants; en hiver, maintenez-le au contraire très sec. Si les plantes ont trop de chaleur ou trop d'humidité, elles produiront de nombreux rejets, mais en revanche peu de fleurs.

Les plantes nouvellement mises en pot ne doivent pas être fertilisées pendant un an; mettez une fois par an, à l'époque de la floraison, à celles qui sont bien établies, un engrais riche en phosphore en vous conformant aux indications du fabricant. Pour obtenir une croissance rapide, rempotez les plantes au début du printemps ou enlevez les rejets du pied et mettez-les en pot; s'ils ont été maintenus au sec durant l'hiver, ils survivront et commenceront à fleurir quand ils auront 8 cm de diamètre.

Mettez-les dans un mélange à parts égales de sable granuleux et de compost pour plantes en pot avec une cuillerée et demie à soupe de calcaire broyé et autant de poudre d'os par 4,5 litres de mélange terreux.

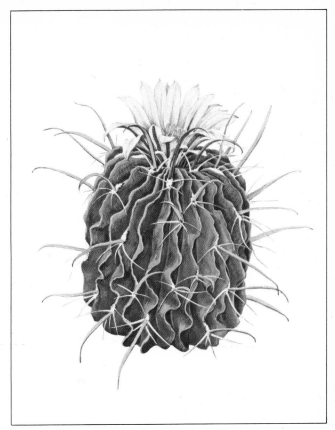

Echinofossulocactus multicostatus

Echinopsis x «Haku Jo»

Echinopsis longispina

L'Échinopsis multiple peut être cultivé à l'extérieur dans les régions au climat doux, comme le Sud de la France et l'Ouest de la Grande-Bretagne, si le sol est bien drainé. Plantez-le dans un sable gras meuble en un endroit légèrement ombragé pendant les heures chaudes de la journée. Mettez, une fois au printemps, un engrais riche en phosphore.

Multipliez *Echinopsis* à partir de graines.

ECHINOPSIS BACKBERGII. Voir *Lobivia*

EPIPHYLLUM

E. ackermannii, appelé aussi *Nopalxochia ackermannii; E. oxypetalum,* appelé aussi *E. grande, Phyllocactus grandis* et *P. oxypetalus; E.* x «Paul de Longpré»
Taille : tiges rampantes d'environ 90 cm de long

Depuis plus de cent ans, les horticulteurs hybrident les cactées épiphytes du genre *Epiphyllum,* qui sont recherchées surtout pour leur vigueur et leurs grandes fleurs abondantes et éclatantes. Il en existe de nombreux cultivars qui produisent toute l'année des fleurs souvent odorantes portées sur des tiges souples et cireuses, plates ou torsadées ; celles-ci peuvent atteindre jusqu'à 90 cm de long.

E. ackermannii (ou *Nopalxochia ackermannii)* porte de nombreuses fleurs pourpres de 10 à 15 cm en forme de trompette, qui s'épanouissent généralement le jour et apparaissent souvent en automne et en hiver aussi bien qu'en été.

E. oxypetalum a de nombreux rameaux plats et minces, assez grands et d'un vert cireux. Avec ses fleurs qui s'ouvrent la nuit, il est considéré par beaucoup comme une plante idéale d'appartement ; ces fleurs d'une douzaine de centimètres, en forme d'étoile, sont blanches et teintées de rouge à la base ; elles répandent une forte odeur de vanille ; les rameaux atteignent quelque 90 cm de long.

L'hybride *E.* x «Paul de Longpré» est particulièrement décoratif en panier suspendu ; ses fleurs jaunes, très ouvertes, atteignent 15 cm de diamètre.

CULTURE. Les épiphylles préfèrent la lumière solaire indirecte ou tamisée. Il leur faut au printemps et en été une température de 16 à 18°C la nuit et de 21 à 24°C le jour. En hiver, ils supportent jusqu'à 4°C, mais ils se portent mieux entre 10 à 13°C. Une température nocturne élevée l'hiver favorise la croissance des tiges au détriment de l'apparition des boutons à fleurs.

Mettez les épiphylles dans un mélange à parts égales de tourbe, de terreau de feuilles ou de sphagnum, et de sable granuleux ou de gravier. Maintenez le sol humide mais évitez d'arroser avec de l'eau alcaline car ces cactées ont pour originalité d'aimer l'acidité.

Du printemps à l'automne, mettez-leur, une fois par mois, un engrais pour plantes d'appartement à basse teneur en azote, en vous conformant aux instructions du fabricant. Maintenez le sol humide. Ne mettez aucun engrais pendant les mois d'hiver.

En été, les épiphylles prospèrent à l'extérieur dans des paniers suspendus à des arbres. Mais ils sont très sensibles aux gelées, et vous ne devez surtout pas oublier de les rentrer à l'automne.

Multipliez à partir des boutures prélevées sur les rameaux adultes au printemps ou en été, après la floraison ; laissez sécher ces boutures pendant une quinzaine de jours, puis faites-les s'enraciner dans du sable à peine humide ou dans un mélange à parts égales de sable granuleux et de vermiculite. Ne les arrosez pas pendant trois semaines ; ce délai passé, commencez à leur donner progressivement un peu d'eau.

ERIOCEREUS. Voir *Harrisia*

ESPOSTOA

E. lanata, appelé aussi *Pilocereus lanatus* (Cierge laineux)
Taille : jusqu'à 90 cm de haut à maturité

Couvert de fins poils blancs serrés et soyeux quand la plante est jeune, *E. lanata* (Le Cierge laineux) est dressé en colonne qui se

Epiphyllum x «Paul de Longpré»

ramifie parfois au sommet. Quand il atteint une quinzaine de centimètres, il grandit d'environ 4 cm par an pour parvenir finalement à quelque 90 cm de haut. Il fleurit rarement quand il est cultivé.

CULTURE. A cause des poils blancs qui recouvrent sa tige, le Cierge laineux doit être exposé toute l'année à une lumière intense pour pouvoir prospérer. A l'intérieur, assurez-lui de quatre à six heures de soleil ou de douze à quatorze heures de lumière artificielle intense par jour. Maintenez dans la pièce une température de 18 à 27°C au printemps et en été, de 7 à 13°C en automne et en hiver.

Laissez le sol devenir sec au toucher, puis arrosez abondamment au printemps et en été ; ne mettez pas d'eau durant la période du repos de la végétation, c'est-à-dire en hiver — vous risqueriez de provoquer une pourriture au pied de la plante.

Mettez, touts les mois, du printemps à l'automne, une solution d'engrais riche en phosphore, mais ne fertilisez pas pendant le repos de la végétation. Rempotez au printemps quand le pot devient trop petit pour la plante, dans un mélange à parts égales de sable granuleux et de compost pour plantes en pot.

Si les poils du bas de la tige foncent et tombent, coupez le sommet de la plante, séchez-le bien et faites-le s'enraciner dans de la vermiculite ou du sable humide.

Multipliez *Epostoa* à partir de graines.

EUPHORBIA

E. caput-medusæ, appelé aussi *E. fructus-pini*, *E. medusæ* et *E. commelinii* ; *E. echinus* ; *E. grandicornis* ; *E. meloformis* (Euphorbe-en-forme-de-melon) ; *E. milii*, appelé aussi *E. splendens* (Couronne-d'épines) ; *E. obesa* (Euphorbe obèse)
Taille : de 5 à 6 m de haut

Il existe dans la nature quelque mille cinq cents espèces d'*Euphorbia* d'aspects totalement différents. Certaines ont des épines, d'autres pas. Nombre de ces plantes grasses, originaires d'Afrique et d'Asie, ressemblent à des cactées mais n'en possèdent pas les aréoles. Plusieurs émettent une sorte de fin brouillard et, quand on les coupe, une sève laiteuse qui peut irriter les yeux et la peau.

E. caput-medusæ a l'apparence d'une cactée et possède des rameaux serpentins — c'est de là qu'il tire son nom latin qui signifie « Tête de Méduse ». Mais il existe d'autres formes d'*E. caput-medusæ*, divisées et noueuses.

E. echinus est un arbuste charnu très ramifié dont les tiges, à six arêtes proéminentes, portent des épines rouges ou grises.

E. grandicornis a des rameaux charnus dressés formés de segments à étranglements, noueux, tordus ou hérissés d'épines, atteignant quelque 6 cm de long. Il atteint 90 cm de haut et porte de petites fleurs jaunes.

E. meloformis (l'Euphorbe-en-forme-de-melon) ressemble un peu à *E. obesa* (l'Euphorbe obèse) mais, contrairement à ce dernier, sa tige à côtes atteignant 10 cm de haut est en général plus large que haute. Il porte à son sommet des tiges à fleurs ramifiées, en forme d'épines.

E. milii (la Couronne-d'épines) est une plante ramifiée, très épineuse, qui atteint 90 cm de haut. Les rameaux d'une douzaine de millimètres d'épaisseur portent de nombreuses épines de 2 cm environ. Les feuilles, qui ont jusqu'à 5 cm de long, tombent quand la plante vieillit. De petites fleurs de couleur variée : rouge, rose, saumon ou jaune, apparaissent au sommet des rameaux. Maintenues à l'humidité, ces plantes fleurissent toute l'année.

E. obesa (l'Euphorbe obèse) est une sphère charnue gris-vert zébré de bandes violettes qui possède huit côtes sans épines ressemblant à des coutures. Avec l'âge, la plante prend parfois une forme ovale et peut alors atteindre 20 cm de haut pour 8 cm de diamètre.

On cultive généralement les euphorbes comme plantes d'appartement en pot mais, dans les régions subtropicales où ils peuvent supporter les hivers, ils sont très décoratifs au jardin.

CIERGE LAINEUX
Espostoa lanata

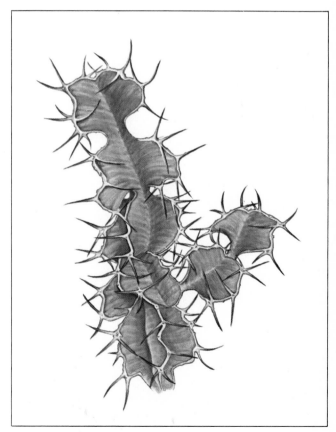

EUPHORBE-EN-FORME-DE-MELON
Euphorbia grandicornis

EUPHORBE OBÈSE
Euphorbia obesa

CULTURE. A l'intérieur, les euphorbes prospèrent avec quatre heures ou davantage de lumière solaire tamisée ou de douze à seize heures de lumière artificielle par jour, mais ils poussent assez bien sous une forte lumière réfléchie par des murs blancs. Une température de 13 à 18°C la nuit, de 21 à 27°C le jour est idéale. Pour la plupart des espèces, laissez le sol devenir sec au toucher entre les arrosages.

E. grandiformis et la Couronne-d'épines craignent les courants d'air et demandent parfois un sol plus riche et plus d'humidité que les autres espèces d'euphorbes pour conserver leurs feuilles. En revanche, il faut laisser sécher complètement entre les arrosages la terre de l'Euphorbe obèse, qui a tendance à pourrir.

Mettez la plupart des euphorbes dans un mélange à parts égales de sable granuleux et de compost pour plantes en pot avec une cuillerée et demie à soupe de calcaire broyé et autant de poudre d'os par 4,5 litres de mélange terreux. Si l'éclairage est bon, mettez une fois par mois en été un engrais équilibré pour plantes d'appartement dilué à 50 p. 100; si l'éclairage est moyen, fertilisez une fois au début de l'été.

Multipliez l'Euphorbe obèse en toute saison à partir de graines. Les autres espèces peuvent être reproduites au printemps et en été par bouturage des tiges. Nettoyez à l'eau froide les boutures et les plantes sur lesquelles vous les avez prélevées; laissez sécher les boutures assez longtemps pour que les cals se forment — ce qui prend de quelques jours à une semaine suivant la dimension de la plante. Mettez les boutures à enraciner dans du sable légèrement humide et, quand les racines sont formées — en général au bout de quelques semaines — mettez en pot. Ne laissez sécher qu'une journée les boutures de Couronnes-d'épines, et maintenez le sable humide pendant la formation des racines.

F

FAUCARIA

F. tigrina, appelé aussi *Mesembryanthemum tigrinum;* F. tuberculosa
Taille: de 10 à 15 cm

Ces plantes grasses naines, presque sans tiges, originaires d'Afrique australe, ont des feuilles triangulaires vert foncé bordées de dents qui ont l'air redoutable mais sont en réalité fort souples. Imbriquées dans les jeunes pousses, les dents s'écartent en une mâchoire menaçante quand les feuilles s'ouvrent par la suite. Les grandes fleurs jaunes apparaissent au début du printemps et s'ouvrent en général l'après-midi; elles se ferment ensuite jusqu'à l'après-midi suivant. La floraison commence habituellement la deuxième année et peut durer plusieurs jours.

Les feuilles de *F. tigrina,* rigides, larges de 2,5 cm à la base et longues de 4 à 5 cm, se terminent en pointe. Elles portent neuf ou dix dents et sont tachées de blanc. Les fleurs de 5 cm de diamètre apparaissent parfois par paires.

Les feuilles épaisses de *F. tuberculosa,* longues de 2,5 cm et larges de 2 cm, apparaissent triangulaires vues du dessus. Elles portent trois grosses dents sur les bords et, sur leur surface supérieure, de minuscules tubercules blancs. Les fleurs jaunes sont larges de 4 cm.

CULTURE. Dans leur habitat d'origine, ces plantes croissent en hiver et sont au repos en été; cultivées dans l'hémisphère Nord, il leur arrive de changer de cycle et d'avoir leur période active de végétation en été.

Les deux espèces préfèrent une lumière intense, de quatre à six heures de soleil direct ou de douze à quatorze heures de forte lumière artificielle par jour à la saison active de la végétation. Pendant cette période, il leur faut une température de 18 à 27°C; quand elles sont au repos, elles peuvent supporter 10°C.

Elles exigent un sol très poreux, comme un mélange de deux tiers de sable granuleux et de un tiers de compost pour plantes en pot. En période active, laissez le compost devenir sec au toucher avant d'arroser; en période de repos, arrosez encore moins.

Faucaria tigrina

Durant la période active de la végétation, mettez une fois par mois aux plantes un engrais riche en phosphore, dilué à 50 p. 100. Ne fertilisez pas en période de repos.

Multipliez à partir de graines ou par division d'une touffe au moment du rempotage.

FENESTRARIA
F. rhopalophylla, appelé aussi *Mesembryanthemum rhopalophyllum* (Plante-à-fenêtres)
Taille : environ 4 cm de haut

Les deux espèces qui constituent ce genre de plantes grasses sont petites, en touffe et portent de minces feuilles en forme de massue dont l'extrémité est arrondie et transparente. Dans leur pays d'origine, ces plantes s'enterrent dans le sol sablonneux et chaud, ne laissant apparaître que l'extrémité des feuilles ; cela les empêche de se dessécher et permet en même temps à la lumière de passer par les « fenêtres » translucides pour assurer l'assimilation de la chlorophylle. Les fleurs, isolées, ressemblent à des marguerites avec leurs nombreux pétales longs et étroits ; elles sont très grosses par rapport à la taille générale de la plante.

F. rhopalophylla (la Plante-à-fenêtres) est l'espèce la plus connue ; elle a des feuilles vert blanchâtre atteignant 3 cm de long et des fleurs blanches de 3 cm de diamètre.

CULTURE. Les *Fenestraria* préfèrent une serre bien aérée ou un appui de fenêtre ensoleillé, et six à huit heures d'éclairage direct par jour, au moins en été. Utilisez un mélange à parts égales de compost pour plantes en pot et de sable granuleux. Dans l'hémisphère Nord, plus frais et où la lumière est moins intense, on peut cultiver ces plantes avec leurs feuilles au-dessus de la surface du sol : enterrées comme dans leur habitat naturel, elles risqueraient de pourrir.

Arrosez régulièrement du printemps à l'automne mais laissez toujours le sol devenir presque sec entre les arrosages. En été, mettez chaque mois du fertilisant liquide aux plantes bien établies. Rempotez tous les deux ou trois ans.

Multipliez à partir de graines ou par division des grosses plantes, au printemps dans les deux cas.

FEROCACTUS
F. acanthodes, appelé aussi *Echinocactus acanthodes* et *E. cylindraceus*; *F. hamatacanthus*, appelé aussi *Echinocactus hamatacanthus* et *E. longihamatus*; *F. townsendianus*; *F. wislizenii*, appelé aussi *Echinocactus wislizenii*
Taille : jusqu'à 3 m de haut

Ces cactées ont de puissants aiguillons aux couleurs souvent éclatantes sur des tiges globulaires, ovales ou cylindriques. Les côtes sont formées de saillies qui se touchent presque, et garnies d'aréoles portant chacune plus de vingt aiguillons. Dans leurs pays d'origine — la Californie, le Texas et le Mexique —, elles atteignent 3 m de haut et 60 cm d'épaisseur, mais il leur faut de nombreuses années pour parvenir à leur taille maximale. Elles produisent, dès qu'elles sont hautes d'une trentaine de centimètres, des fleurs en forme de cloche ou de trompette de 4 à 8 cm de diamètre apparaissant à l'extrémité de la tige au printemps.

Dans son habitat naturel, *F. acanthodes* a la forme d'une colonne de 2 à 3 m et de 30 cm d'épaisseur munie de seize à vingt-huit côtes ; mais une plante d'appartement de quelque 12 à 15 cm ne grandit pas de plus de 2,5 cm en deux ans. Les aiguillons vont du rose au rouge vif et sont souvent tordus ou crochus ; les fleurs sont orange ou jaunes.

F. hamatacanthus a généralement des tiges isolées qui finissent par atteindre 60 cm de haut, mais au bout de nombreuses années seulement. Elles sont couvertes de longs aiguillons gris ou bruns dont certains sont crochus. Les fleurs, de 8 cm, sont jaunes.

F. towsendianus a la forme d'un cylindre haut de 40 cm à longs aiguillons minces et à fleurs orange.

F. wislizenii peut atteindre 3 m de haut dans son habitat naturel — et même exceptionnellement en culture s'il dispose de

PLANTE-A-FENÊTRES
Fenestraria rhopalophylla

Ferocactus acanthodes

Gasteria liliputana

Greenovia aurea

suffisamment de place pour ses racines et sa tige. Mais, comme sa croissance est très lente, on peut néanmoins le cultiver dans de petits pots. Les tiges cylindriques sont couvertes de minces aiguillons radiaux blancs atteignant 5 cm de long, avec des aiguillons centraux crochus dont les plus grands ont 10 cm de long. Les fleurs, dont les couleurs s'étendent du rouge orangé au jaune, ont environ 6 cm de long. Ces cactées ont une croissance si lente qu'on peut utiliser les semis en plantes de fenêtres.

CULTURE. Pour conserver leur forme plaisante, les ferocactus ont besoin d'un ensoleillement maximal toute l'année. Assurez-leur une température de 18 à 27°C au printemps et en été, de 7 à 13°C en automne et en hiver.

Mettez-les dans un mélange à parts égales de sable granuleux et de compost pour plantes en pot. A la saison active de la végétation — soit du printemps et de l'été —, laissez le sol devenir sec au toucher entre les arrosages; maintenez-le très sec en automne et en hiver. Mettez tous les deux mois, du printemps à l'automne, un engrais équilibré pour plantes d'appartement dilué selon les indications du fabricant. Ne fertilisez pas en hiver. Épandez un peu de poudre d'os à chaque printemps.

Multipliez les ferocactus à partir de graines.

G

GASTERIA

G. caespitosa; G. liliputana; G. verrucosa, appelé aussi *Aloe verrucosa* (Gasteria verruqueux)
Taille: de 5 à 15 cm de haut sans les tiges à fleurs

Vigoureux et faciles à cultiver, les gasterias sont des plantes grasses sans tiges dont les feuilles charnues, de 5 à 35 cm, sont joliment tachées. Elles forment parfois des rosettes, mais le plus souvent partent du pied de la plante et se divisent ensuite en rangées opposées.

G. caespitosa a des feuilles vertes, fines et lisses, de forme triangulaire. Elles sont assez longues puisqu'elles atteignent jusqu'à 15 cm de long et 2 cm de large, leur face supérieure est constellée de points d'un vert plus pâle.

G. liliputana, petite plante de 5 cm de haut, est formée de touffes et a des feuilles d'un vert foncé brillant; elles mesurent environ 5 cm de long et 2,5 cm de large.

G. verruquosa (le Gasteria verruqueux) forme des touffes de feuilles épaisses et dures de 10 à 25 cm de long, disposées sur deux rangs et dont la face supérieure est couverte de tubercules blanchâtres — c'est de cette particularité qu'il tire son nom vulgaire. Les fleurs rouges, tubuleuses, longues de 2 cm, sont portées sur des inflorescences atteignant une soixantaine de centimètres de haut.

CULTURE. Les gasterias demandent peu de soins comme plantes d'appartements et poussent même sur une fenêtre exposée au nord; cependant, elles préfèrent un éclairage indirect intense ou une lumière solaire tamisée.

En hiver, maintenez une température de 10 à 13°C la nuit, de 13 à 21°C le jour et, en été, de 13 à 21°C la nuit, et de 21 à 27°C le jour.

Mettez-les dans un mélange à parts égales de sable granuleux et de compost pour plantes en pot, avec une cuillerée à soupe de calcaire broyé et une cuillerée et demie de poudre d'os par 5 litres de mélange terreux. Laissez celui-ci devenir presque sec avant de l'arroser.

Mettez aux plantes tous les deux mois, au printemps et en été, de l'engrais équilibré pour plantes d'appartement dilué à 50 p. 100; ne fertilisez pas en hiver. Rempotez les plantes à l'étroit en toute saison.

Multipliez, à n'importe quelle période, mais de préférence au printemps, à partir de graines, de boutures de feuilles ou de jeunes pousses prélevées au pied de la plante.

GRAPTOPETALUM. Voir *Sedum*

GREENOVIA

G. aurea, appelé aussi *Sempervivum aureum*

Taille : rosettes de 5 à 12 cm de diamètre

Cette plante grasse est originaire des montagnes des îles Canaries. Quand elle est en période de repos, elle a des touffes de rosettes en forme de coupe qui, à la saison active de la végétation, se développent considérablement et produisent des inflorescences feuillues de 15 à 45 cm de haut. Les rosettes ont de 5 à 12 cm de diamètre, avec des feuilles de 5 à 10 cm de long. Elles sont couleur saumon en période de repos et bleu-vert à la saison active de la végétation. Au début de l'été, des inflorescences de 45 cm de haut, couvertes de feuilles enveloppantes, portent des capitules de fleurs jaunes. Quand elles meurent, des rejets poussent parfois sur des tiges horizontales partant du pied de la plante.

CULTURE. A l'intérieur, les greenovias préfèrent une lumière moyenne tamisée, et une température de 18 à 27 °C toute l'année. Au repos, la plante supporte des températures plus basses si elle est bien au sec. Sa période active de végétation normale est l'hiver mais, quand la plante est cultivée, cette période se reporte parfois à la fin du printemps.

Pendant la période de repos, le sol doit être très sec ; quand les rosettes sont ouvertes, il faut le laisser devenir sec au toucher avant d'arroser avec abondance. En période active, mettez une fois par mois un engrais riche en phosphore dilué à 50 p. 100 ; ne fertilisez pas quand la plante est au repos.

Multipliez en plantant les petites rosettes produites durant la saison active de la végétation dans un mélange à parts égales de sable granuleux et de compost pour plantes en pot, et ajoutez au mélange terreux une cuillerée à soupe de calcaire broyé et autant de poudre d'os.

GYMNOCALYCIUM

G. denudatum, appelé aussi *Echinocactus denudatus* (Gymnocalycium dénudé) ; *G. mihanovichii,* appelé aussi *Echinocactus mihanovichii* ; *G. quehlianum,* appelé aussi *Echinocactus quehlianus*

Taille : de 2,5 à 10 cm de haut et de 5 à 15 cm de diamètre à l'âge adulte

Ces petites cactées globulaires se distinguent par leurs bourgeons à fleurs lisses et nues ; quand elles ne sont pas en boutons, on les reconnaît aux fissures situées au bas des gibbosités qui font saillie sous les aréoles. Elles produisent facilement au printemps, en appartement, des fleurs blanches, roses, parfois jaunes, atteignant quelque 8 cm de diamètre. La floraison dure plusieurs jours et, chez certaines espèces, elle peut même s'étendre jusqu'à l'automne.

G. denudatum (le Gymnocalycium dénudé) est une plante verte à épines jaunes de 12 mm étalées comme les pattes d'une araignée sur cinq à huit côtes larges et obtuses. Les fleurs, qui atteignent une dizaine de centimètres environ de diamètre, vont du blanc au rose pâle.

Des bandes d'un rouge estompé zèbrent la tige gris-vert et les épines courbes grises d'une douzaine de millimètres de long de *G. mihanovichii.* La plante produit en abondance des fleurs d'une teinte pâle jaune verdâtre nuancée de rose. *G. mihanovichii* et ses formes mutantes sont souvent greffées sur un *Hylocereus.*

G. quehlianum (ou *Echinocactus quehlianum*) est vert, avec des épines ivoire et rouges à la base. Ses fleurs blanches sont teintées de rouge au centre et apparaissent sur les sujets jeunes comme sur les plus âgés.

CULTURE. Les gymnocalyciums préfèrent au moins quatre heures d'ensoleillement par jour, mais ils poussent assez bien sous une forte lumière indirecte, à l'exception des variétés greffées qu'il faut exposer à un éclairage intense si l'on veut conserver leurs couleurs.

Assurez-leur, tout au long de l'année, une température de 10 à 13 °C la nuit et de 20 à 22 °C le jour. En hiver, arrosez juste assez pour éviter que les plantes ne se flétrissent ; du printemps à

Greffe de *Gymnocalycium*

Gymnocalycium quehlianum

Harrisia martinii

l'automne, laissez bien sécher le sol entre les arrosages, qui ne doivent avoir lieu que lorsque le dessus du pot est sec au toucher.

Mettez à chaque printemps un engrais à haute teneur en phosphore selon les indications du fabricant; ne fertilisez pas la première année les plantes nouvellement mises en pot. Utilisez un mélange à parts égales de sable granuleux et de compost pour plantes en pot, en ajoutant par 4,5 litres de mélange terreux une cuillerée et demie à soupe de calcaire broyé et autant de poudre d'os. Rempotez en toute saison les plantes à l'étroit.

Multipliez les types colorés en greffant les plantules qui se développent au pied ou sur les côtes de la plantes sur une cactée verte comme l'*Hylocereus* ou le *Myrtillocactus*.

H

HARRISIA

H. jusbertii, plus correctement appelé *Eriocereus jusbertii;*
H. martinii, plus correctement appelé *Eriocereus martinii*
Taille: tiges longues de 2 m et davantage

Les harrisias forment de véritables fourrés en Afrique australe d'où ils sont originaires. Leurs tiges longues et minces, dressées quand la plante est jeune, se recourbent et poussent sur le sol quand elle devient adulte; elles se ramifient alors et fleurissent. Les côtes larges portent des épines en forme d'aiguille.

H. jusbertii (ou *Eriocereus jusbertii)* a des tiges grimpantes vert foncé, très ramifiées, épaisses de 6 cm, qui portent de courtes épines brunes et des fleurs blanches de 18 cm de diamètre s'ouvrant la nuit.

H. martinii (ou *Eriocereus martinii),* espèce particulièrement vigoureuse, a des tiges presque cylindriques d'environ 2,5 cm d'épaisseur. Les aréoles portent des poils laineux gris, de courtes épines radiales et un long aiguillon central. Avec l'âge, les tiges ont tendance à perdre leurs épines. Les fleurs blanches, longues de 20 cm, s'ouvrant la nuit sont remplacées par des capsules de graines épineuses rouges, tachetées de gris, de 4 cm de diamètre. La plante fait un bon porte-greffe et peut être facilement palissée contre un mur.

CULTURE. Les harrisias exigent au moins quatre heures d'ensoleillement par jour pour donner une abondante floraison; cependant, ils poussent également bien — mais parfois sans fleurir — sous un bon éclairage indirect.

En hiver, la température idéale est de 4 à 7°C la nuit et de 18°C le jour; du printemps à l'automne, elle doit être de 18 à 21°C la nuit et de 24 à 29°C le jour. En hiver, laissez le sol sécher complètement avant d'arroser; du printemps à l'automne, en revanche, arrosez quand seul le dessus du sol est sec.

Mettez chaque année au printemps un engrais chimique riche en phosphore et soluble dans l'eau, dilué selon les instructions du fabricant; ne fertilisez pas la première année les plantes fraîchement mises en pot. Employez un mélange à parts égales de sable granuleux et de compost pour plantes en pot, plus une cuillerée et demie à soupe de calcaire broyé et autant de poudre d'os par 4,5 litres de mélange terreux.

Multipliez en toute saison à partir de plantules que vous pouvez prélever à la base des plantes établies, ou encore à partir de graines.

HATIORA, appelé aussi HARIOTA

H. salicornioides
Taille: tiges longues de 20 à 60 cm

Cette cactée, qui dans la nature pousse sur les arbres, a de minces tiges articulées en forme de bouteille lesquelles, dressées quand la plante est jeune, deviennent par la suite pendantes et peuvent atteindre 2 m de long dans la nature. La floraison a lieu à la fin de l'hiver, une fleur jaune, orange ou saumon, longue d'une douzaine de millimètres apparaissant alors à l'extrémité de chaque tige. On cultive en général cette plante dans des paniers suspendus d'où les tiges peuvent retomber librement.

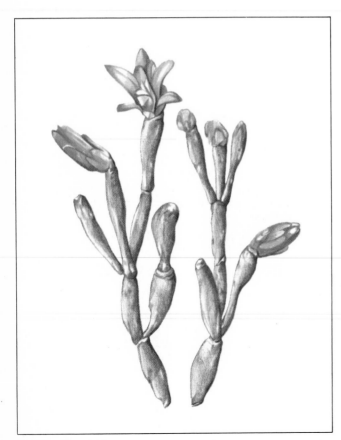

Hatoria salicornioides

CULTURE. *H. salicornioides* pousse bien sous une lumière solaire indirecte mais intense. Du printemps à l'automne, il préfère une température de 18 à 21 °C la nuit et de 24 à 29 °C le jour ; en hiver, cette température doit être de 7 à 13 °C la nuit et ne pas dépasser 18 °C le jour.

Arrosez abondamment, même en hiver, car la sécheresse est néfaste à ces plantes : elle risquerait de faire se briser les tiges aux articulations.

Pendant la période de végétation, mettez toutes les six semaines un fertilisant pour plantes d'appartement selon les instructions portées sur l'emballage. Utilisez un mélange à parts égales de compost pour plantes en pot et de sable granuleux. Ajoutez une cuillerée et demie à soupe de calcaire broyé et autant de poudre d'os par 4,5 litres de mélange terreux.

Vous pouvez multiplier cette plante au début du printemps à partir de boutures de tiges.

HAWORTHIA
H. cymbiformis; *H. fasciata* (Haworthia tigré); *H. limifolia*; *H. reinwardtii* (Haworthia de Reinwardt)
Taille : de 5 à 15 cm de haut

Les haworthias sont de petites plantes grasses appréciées pour le port extraordinaire de leurs feuilles grises, brunes ou vertes, souvent constellées de sortes de verrues appelées tubercules formant des dessins bizarres. Tous les haworthias produisent des fleurs tout à fait quelconques.

H. cymbiformis n'a pas de tige, et ses feuilles ovales, longues de 4 cm, sont bleu-vert à bandes verticales noires ; leurs extrémités sont translucides.

H. fasciata (le Haworthia tigré) est le plus connu du genre. Il forme une rosette acaule de 7 à 10 cm de diamètre dont les feuilles dressées d'environ 4 à 5 cm de long sont striées, sur leur face inférieure, de bandes transversales blanches formées par les tubercules.

H. limifolia a la taille de *H. cymbiformis,* mais ses feuilles vert foncé sont triangulaires et divisées par de nombreuses côtes horizontales.

H. reinwardtii (le Haworthia de Reinwardt) a des tiges de 15 cm de long sur lesquelles s'insèrent en spirale serrée des feuilles triangulaires dont l'envers porte plus de tubercules blancs que la face supérieure.

CULTURE. Les haworthias sont parmi les rares plantes grasses qui tolèrent une ombre légère. Ils sont originaires des régions sèches de l'Afrique australe, où ils poussent sous les grands buissons dans un éclairage ; quand ils sont cultivés, cet éclairage peut être simulé par la lumière solaire tamisée. Laissez la moitié supérieure du sol du conteneur sécher avant d'entreprendre un arrosage.

Ne fertilisez pas durant la première année les plantes fraîchement mises en pot. Quand elles sont établies, mettez-leur chaque année au début du printemps un engrais pour plantes d'appartement en vous conformant aux indications du fabricant. Utilisez un mélange à parts égales de sable granuleux et de compost pour plantes en pots, plus une cuillerée et demie à soupe de poudre d'os par 4,5 litres de mélange.

Les haworthias se multiplient aisément par séparation et enracinement des drageons, jeunes pousses apparaissant au pied des plantes établies. La reproduction peut aussi se faire à partir de graines ou de boutures de feuilles.

HUERNIA
H. keniensis; *H. macrocarpa*
Taille : jusqu'à 12 cm de haut

Ces plantes grasses naines, sans feuilles, originaires de l'Afrique tropicale et australe, ont une croissance lente mais forment des touffes abondantes. Leurs nombreuses tiges charnues, ne dépassant en général pas 12 ou 13 cm et garnies d'épines, peuvent être dressées ou procombantes. La plante produit en été des fleurs

Haworthia limifolia

Huernia macrocarpa

Kolanchoe beharensis

Kalanchoe fedtschenkoi

originales aux couleurs souvent éclatantes et disposées en général à la base des tiges.

H. keniensis a des tiges qui sont soit parfaitement cylindriques, soit à cinq côtes, et il produit des fleurs violet foncé de 3 cm.

H. macrocarpa porte des fleurs jaunes de 2 à 3 cm, zébrées de lignes violettes, ou parfois entièrement violettes.

CULTURE. Les huernias prospèrent si on leur assure au moins quatre heures de lumière solaire tamisée ou de huit à douze heures de lumière artificielle par jour. En hiver, une température de 4 à 7°C la nuit et de moins de 18°C le jour est idéale ; du printemps à l'automne, il est recommandé d'assurer aux plantes une température plus élevée, de 18 à 21°C la nuit et de 24 à 29°C le jour.

Du printemps à l'automne, laissez le sol devenir sec au toucher avant d'arroser, mais en hiver mettez juste ce qu'il faut d'eau pour que la plante ne se flétrisse pas.

Ne fertilisez pas la première année les plantes nouvellement mises en pot ; quand elles sont établies, mettez-leur chaque mois, pendant la saison active de la végétation, un engrais équilibré pour plantes d'appartement dilué à 50 p. 100. Quand les plantes se trouvent à l'étroit dans leur pot, rempotez-les dans un mélange à parts égales de compost pour plantes en pot et de sable granuleux, ajoutez-y, par 4,5 litres de mélange et une cuillerée et demie à soupe de calcaire broyé et autant de poudre d'os.

La multiplication des huernias s'effectue en toute saison par division des touffes ou par enracinement de boutures prélevées durant la période active de la végétation.

J

JOVIBARBA. Voir *Sempervivum*

K

KALANCHOE

K. beharensis; K. blossfeldiana; K. daigremontiana, appelé aussi *Bryophyllum daigremontianum; K. fedtschenkoi*

Taille : de 30 cm à 3 m de haut

Il existe peu de groupes de plantes grasses ayant des formes aussi variées que celles du genre *Kalanchoe*. Certaines espèces sont cultivées pour leurs feuilles tomenteuses, d'autres pour leurs bouquets de fleurs hivernales éclatantes, d'autres encore pour les splendides couleurs de leurs feuilles. La plupart cependant sont assez petites pour tenir sur un rebord de fenêtre et décorer ainsi une maison.

K. beharensis, espèce particulièrement grande, est parfois planté comme arbuste de jardin dans les régions au climat doux car il atteint souvent 1 à 3 m. Ses feuilles tomenteuses de formes irrégulières, serrées à l'extrémité des rameaux, ont de 10 à 40 cm de long et de 7 à 35 cm de large. Elles sont couvertes d'une fine peluche, brune sur le dessus et verte à l'envers. Des bouquets de fleurs jaunâtres en forme d'amphore apparaissent à l'extrémité d'inflorescences pouvant atteindre jusqu'à 25 cm.

K. blossfeldiana se ramifie symétriquement et forme un dôme d'une trentaine de centimètres de haut. Ses feuilles vertes, cireuses, ont de 2 à 7 cm de long ; celles du haut portent à leur aisselle, au moment de la floraison, d'épais bouquets de fleurs violettes qui cachent presque entièrement le feuillage. Ces kalanchoes sont souvent vendus en fleurs à l'époque de Noël ; il en existe des cultivars à fleurs jaunes, orange ou saumon.

K. daigremontiana (ou *Bryophyllum daigremontianum*) a des tiges dressées hautes de 30 à 90 cm, portant des paires opposées de feuilles oblongues, étroites, longues de quelque 10 à 25 cm, tachetées de violet et garnies de nombreuses plantules sur les bords. Les fleurs pourpres tubulaires, longues de 2 à 3 cm, apparaissent en gros bouquets au bout des tiges.

K. fedtschenkoi, espèce buissonnante, a des fleurs bleu-vert de 2 à 3 cm, aux bords dentelés et teintés de rose. Ses tiges pendantes, atteignant 60 cm de longueur, en font une agréable plante de panier suspendu qui porte en hiver des fleurs tubulaires de couleur abricot.

CULTURE. Les kalanchoes exigent, pour fleurir abondamment et pour conserver les belles couleurs de leur feuillage, au moins quatre heures d'ensoleillement par jour. La température idéale est de 10 à 16°C la nuit et de 20 à 22°C le jour. Laissez la partie supérieure du sol sécher avant d'arroser.

Mettez aux plantes tous les quinze jours, du mois de mai à la floraison, un engrais chimique à haute teneur en phosphore dilué à 50 p. 100. Cessez ensuite de fertiliser jusqu'à la reprise de la végétation. Quand les kalanchoes sont à l'étroit dans leur conteneur, rempotez-les dans un mélange à parts égales de compost pour plantes en pot et de sable granuleux.

Pour fleurir à Noël, *K. blossfeldiana* a besoin de quatorze heures d'obscurité complète et de dix heures de soleil ou de lumière artificielle par jour, depuis le mois de septembre jusqu'aux premiers jours de décembre. Après la floraison, coupez les hampes sous les fleurs, juste au-dessus de la première paire de feuilles.

K. blossfeldiana se multiplie à partir de boutures de tiges au début de l'automne, ou de graines que l'on doit semer en janvier pour obtenir une plante fleurissant à Noël. Multipliez *K. daigremontiana* à partir des plantules. Les autres espèces de kalanchoes se reproduisent à partir de boutures de tiges ou de feuilles.

KLEINIA
K. herreianus, appelé aussi *K. gomphopylla* et *Senecio herreianus*; *K. rowleyanus*, appelé aussi *Senecio rowleyanus*; *K. stapeliiformis*, appelé aussi *Senecio stapeliiformis*
Taille : de 20 à 90 cm de long

Les espèces de *Kleinia*, classées comme étant des espèces de *Senecio* par de nombreux spécialistes, sont des plantes grasses d'aspects si différents qu'il est difficile pour certains de croire qu'ils sont apparentés. Mais ils ont tous une caractéristique commune : ils portent des fleurs en forme de pinceau, en général blanches ou rouges.

K. herreianus (ou *Senecio herreianus*) a des tiges rampantes, longues de 30 à 60 cm, ressemblant à des colliers de petites perles vertes. Chaque « perle » est en fait une feuille ovale longue d'une douzaine de millimètres zébrée de bandes translucides plus ou moins fines. Ses longues tiges souples, ses feuilles et ses fleurs groupées en épis de 7 à 8 cm, en font une très jolie plante pour panier suspendu.

K. rowleyanus (ou *Senecio rowleyanus*) ressemble au précédent, mais ses feuilles sont plus petites, plus arrondies, et n'ont qu'une seule et étroite bande translucide. Ses fleurs blanches, en touffe, sont portées sur une hampe plus courte. Lui aussi fait une excellente plante pour panier suspendu.

K. stapeliiformis (ou *Senecio stapeliiformis*) est une espèce curieuse, brillamment colorée ; ses tiges dressées allant du vert au violet, ont de nombreuses faces tachées d'argent ; elles ont environ 2 cm d'épaisseur. Les arêtes des faces sont garnies de feuilles en forme d'épines longues de 6 mm. La plante se ramifie à partir du pied et atteint quelque 25 cm de haut. Des bouquets de fleurs de 5 cm de diamètre environ apparaissent en été sur des inflorescences dressées de 15 cm de long.

CULTURE. Les kleinias demandent pour prospérer un minimum de quatre heures de soleil, ou de quatorze heures de forte lumière indirecte par jour à l'époque active de la végétation ; cependant, ils poussent assez bien sous un éclairage indirect intense. En hiver, douze heures de lumière artificielle par jour leurs suffisent.

Une température de 10 à 13°C la nuit et de 20 à 22°C le jour est idéale. Pour la plupart des espèces, du printemps à l'automne, laissez le dessus du sol devenir sec au toucher avant d'arroser. *K. stapelliformis* exige encore moins d'eau que les autres. En hiver, arrosez juste assez pour éviter que les plantes ne se flétrissent.

Ne fertilisez pas durant la première année les plantes nouvelle-

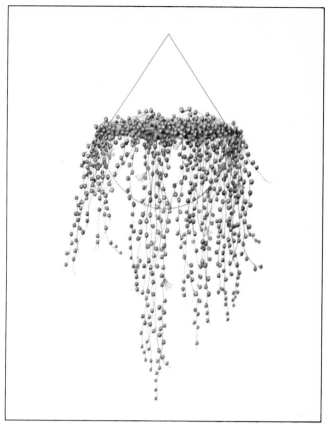

Kleinia rowleyanus

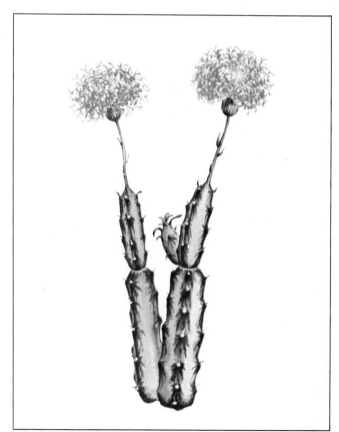

Kleinia stapeliiformis

Lampranthus spectabilis

Lapidaria margaretae

ment mises en pot ; quand elles sont établies, mettez-leur, tous les mois, au printemps et en été, de l'engrais pour plantes d'appartement en suivant les instructions du fabricant. Rempotez quand cela est nécessaire dans un mélange à parts égales de compost pour plantes en pot et de sable granuleux, en lui ajoutant, par 4,5 litres de mélange, une cuillerée et demie à soupe de calcaire broyé et autant de poudre d'os.

Multipliez en toute saison par division ou par bouturage des tiges.

L

LAMPRANTHUS

L. emarginatus, appelé aussi *Mesembryanthemum emarginatum ;*
L. spectabilis, appelé aussi *Mesembryanthemum spectabile*
Taille : de 10 à 45 cm de haut, parfois davantage

Ces plantes grasses ressemblent aux *Drosanthemum,* mais leurs feuilles sont dépourvues des granules étincelants de ceux-ci ; de plus, leur port est souvent moins compact et elles sont moins ligneuses.

L. emarginatus (ou *Mesembryanthemum emarginatum)* peut atteindre et même dépasser 30 cm de haut avec une envergure égale ou supérieure. Il porte des paires de feuilles gris-vert hémicylindriques, longues chacune de 2 cm ; pendant tout l'été, il produit des fleurs isolées ou groupées par deux ou trois, d'une couleur rose violacé et d'une largeur d'environ 3 cm.

L. spectabilis (ou *Mesembryanthemum spectabile)* a des tiges procombantes et des feuilles gris-vert atteignant de 7 à 8 cm de long. Il porte, de la fin du printemps à la fin de l'été, une profusion de fleurs violettes éclatantes larges de 5 à 8 cm.

CULTURE. Pendant la période active de la végétation, les lampranthus doivent recevoir au moins six heures de lumière directe pour avoir une belle floraison. On peut les cultiver en pots remplis de compost approprié, durant toute l'année, ou les planter à l'extérieur dans un endroit ensoleillé si le sol est fertile et bien drainé, et à condition qu'il n'y ait plus aucun risque de gelée. Ils peuvent aussi être cultivés en paniers suspendus, et sont ainsi particulièrement décoratifs.

En été, fertilisez les plantes en pot toutes les deux ou trois semaines. En hiver, arrosez juste assez pour éviter la flétrissure des feuilles, et maintenez une température nocturne de 4°C au minimum. Rempotez tous les ans à la fin de l'hiver ou au début du printemps, et coupez alors à la moitié ou aux deux tiers les branches folles. Jetez les plantes âgées de trois ans.

Épandez de la poudre d'os à la surface du sol avant de les planter en pleine terre ; si le sol est pauvre, ajoutez-y à la fourche-bêche du terreau de feuilles ou du compost de jardin bien fait.

Multipliez par bouturage à la fin de l'été ou au printemps, ou à partir de graines au printemps par une température de 16 à 18°C.

LAPIDARIA

L. margaretae
Taille : jusqu'à 4 cm de haut

Cette plante grasse originaire d'Afrique du genre *Lapidaria* porte des feuilles épaisses finement ciselées, longues de 2 cm et larges de 12 mm, bleu-vert avec des nuances de rose, qui ressemblent à de petits cailloux parfaitement polis — c'est de là que vient le nom du genre, *Lapidaria,* qui signifie en latin « amas de pierres ».

Ces feuilles se présentent en général par paires réunies à la base ; elles se séparent ensuite pour laisser apparaître une deuxième paire. Des fleurs jaunes d'environ 5 cm de diamètre sortent isolément entre les feuilles et recouvrent presque entièrement la plante. La floraison a lieu d'octobre à novembre.

CULTURE. Cette plante a besoin d'un maximum de lumière pour fleurir et pour que ses feuilles acquièrent les couleurs qui font son originalité. Placez-la donc sur un rebord de fenêtre ensoleillé orienté vers le sud, ou juste au-dessous de tubes fluorescents seize heures par jour. Elle préfère une température supérieure à 10°C. Du printemps à l'automne, arrosez le lapidaria abondamment quand le sol est sec au toucher. Après la floraison, donnez-lui juste assez d'eau pour l'empêcher de se flétrir. Si vous l'arrosez bien pendant la floraison, il peut fleurir à nouveau un mois plus tard. Ne le gardez cependant pas dans une atmosphère trop humide, et ne le mettez pas avec des plantes qu'il vous faut arroser fréquemment.

Plantez dans un pot de 6 mm de diamètre rempli d'un mélange à parts égales de compost pour plantes en pot et de sable granuleux sur une couche de 12 mm de gravier disposée au fond du récipient. Lors du rempotage, assurez-vous que l'envers des feuilles n'est pas en contact avec la terre.

Vous pouvez multiplier à partir de graines que vous sèmerez à l'automne.

LEMAIREOCEREUS. Voir *Stenocereus*
LEPISMIUM. Voir *Rhipsalis*
LEPTOCLADODIA. Voir *Mammillaria*

LEUCHTENBERGIA
L. principis
Taille : de 15 à 30 cm de haut

L. principis est une plante de forme curieuse que l'on confond souvent avec l'agave. Il a une racine en forme de navet, une tige courte et des tubercules triangulaires longs de 12 cm et larges de 1 à 2 cm. De couleur bleu-vert, ces tubercules ont des bouts arrondis qui portent des aiguillons plats couleur paille, qui peuvent atteindre 15 cm de long. Au bout de plusieurs années en culture, des fleurs odorantes, soyeuses, jaune citron, atteignant 10 cm de diamètre, apparaissent près du sommet des jeunes tubercules situés près du centre de la plante.

CULTURE. *L. principis* a besoin, pour prospérer, d'au moins quatre heures d'ensoleillement par jour. Pour bien se développer, au printemps et en été, il lui faut une température de 24 à 29°C le jour et de 16 à 18°C la nuit. Quand la plante est au repos, elle doit être tenue au frais, à une température inférieure à 18°C la nuit. Au printemps et en été, laissez le sol sécher entre les arrosages ; en hiver, mettez très peu d'eau, juste assez pour éviter que la plante ne se flétrisse.

Ne fertilisez pas durant la première année les plantes fraîchement mises en pot. Mettez à chaque printemps de l'engrais pour plantes d'appartement aux plantes établies. Quand elles sont à l'étroit, rempotez-les dans un mélange de deux tiers de compost pour plantes en pot et d'un tiers de sable granuleux avec, pour 4,5 litres de mélange, une cuillerée et demie à soupe de calcaire broyé et autant de poudre d'os. Avec ses longues racines pivotantes, *L. principis* a besoin d'un pot profond.

Multipliez en toute saison à partir de graines, de rejets ou de tubercules que vous ferez enraciner dans du sable humide.

Leuchtenbergia principis

LITHOPS
L. bromfieldii ; *L. divergens* ; *L. fulviceps* « Lactinea » ; *L. olivacea* ; *L. optica* « Rubra » ; *L. salicola* ; *L. turbiniformis*, appelé aussi *L. aurantiaca*. (Tous sont aussi appelés Plantes-cailloux)
Taille : de 1 à 3 cm de haut

Les *Lithops*, ou Plantes-cailloux, originaires des régions arides de l'Afrique australe, ressemblent tellement à des pierres qu'on les repère difficilement quand elles ne sont pas en fleur. Elles sont pratiquement dépourvues de tiges et possèdent deux feuilles plates en demi-cercle qui leur servent de réservoir d'eau, et qui sont munies à leur sommet de fenêtres transparentes permettant aux rayons du soleil d'atteindre les cellules vertes à l'intérieur de la plante. Ces feuilles sont séparées par un mince sillon d'où surgit une nouvelle paire de feuilles à la saison active de la végétation ; les vieilles se séparent et meurent. Des fleurs blanches

PLANTE-CAILLOU
Lithops olivacea

PLANTES-CAILLOUX
Lithops bromfieldii (en bas à gauche), L. *divergens (en haut à gauche)*, L. *fulviceps* «Lactinea» *(en haut à droite)*, L. *optica* «Rubra» *(en bas à droite)*, L. *salicola (en haut au centre)*, L. *turbiniformis (au centre)*.

ou jaunes, semblables à des marguerites, sortent également du sillon, en général à l'automne.

Il existe environ cinquante espèces et plus de quatre-vingt-dix variétés et cultivars de lithops. Les couleurs et le dessin de leurs feuilles varient considérablement, et elles peuvent être teintées de brun, de gris, de beige et de rouge. *L. bromfieldii* a l'extrémité de ses feuilles marquée d'un réseau de fins traits rouge foncé, et pousse en touffes de quatre à six plantes.

L. divergens croît isolé ou en petites touffes; il est gris-vert avec des fleurs jaunes de 2,5 cm. *L. fulviceps* «Lactinea» a le sommet de ses feuilles brun-roux constellé de points gris-vert. Il croît aussi isolé ou en touffes de deux à quatre plantes, et porte des fleurs jaunes sur le dessus, blanches en dessous.

L. olivacea pousse en grosses touffes de 2 cm de haut. Il est vert olive à marron avec souvent des taches blanches au sommet de ses feuilles. Ses fleurs de 4 cm de diamètre sont jaune vif, mais blanches à la base. *L. optica* «Rubra» est brun-rouge avec une grosse tache brun plus foncé au sommet de chaque feuille. Il produit des fleurs jaunes odorantes et croît en touffes comprenant jusqu'à trente plantes.

L. salicola est gris avec une grosse tache vert foncé au sommet de chaque feuille. Il peut être isolé ou en touffes comptant jusqu'à vingt plantes, et il produit des fleurs blanches de 2 à 3 cm. Le sommet des feuilles de *L. turbiniformis* est verruqueux, brun-rouge, avec un réseau de lignes brun foncé. Il pousse isolé ou en petites touffes, et a des fleurs jaune vif de 4 cm environ de diamètre.

CULTURE. Les Plantes-cailloux prospèrent avec quatre heures ou plus de soleil, ou au moins douze heures de lumière artificielle par jour. Elles peuvent supporter en été une température de près de 30°C mais, en hiver, doivent être maintenues relativement au frais, soit de 7 à 16°C. Durant les deux périodes actives de la végétation, au printemps et en automne, arrosez abondamment quand la surface du sol est sèche au toucher; n'arrosez pas de novembre à mars, car les plantes absorbent à ce moment-là l'eau des feuilles qui meurent. Évitez l'excès d'humidité en tenant les lithops loin des plantes arrosées fréquemment. Employez un mélange à parts égales de compost pour plantes en pot et de sable granuleux sur une couche de drainage de 10 mm d'épaisseur de gravier. Mettez les plantes isolées dans un pot de 6 cm, ou rassemblez plusieurs espèces dans un même récipient large et peu profond.

Multipliez *Lithops* en automne, à partir de graines.

LOBIVIA
L. backebergii, appelé aussi *Echinopsis backebergii*; *L. boliviensis*; *L. famatimensis*, appelé aussi *L. pectinifera* (Lobivia de Famatima); *L. hertrichiana*
Taille: de 7 à 15 cm de hauteur

Le nom de genre *Lobivia* est l'anagramme de Bolivia (la Bolivie), pays d'où sont originaires de nombreuses espèces que l'on trouve à flanc de montagne à de basses températures. Ces plantes sont appréciées pour leurs fleurs abondantes, leur petite taille et le peu de soins qu'elles exigent. Elles sont globulaires ou en forme de colonne cylindrique courte, et poussent isolément ou avec une tige centrale entourée de minuscules rejets. De juin à septembre, elles portent des fleurs en forme de trompette ou de cloche, pouvant atteindre 10 cm de diamètre et qui, chez certaines espèces, les cachent presque complètement. Ces fleurs ont des teintes rouges, jaunes, roses, orange, violettes et blanches. Elles ne durent en général qu'un seul jour.

L. backebergii (ou *Echinopsis backebergii*) a des touffes de tiges ovales, hautes de 10 cm, portant des épines courtes et d'autres longues en forme d'aiguille, et des fleurs rouges de 5 cm de longueur. *L. boliviensis* a des tiges presque sphériques d'environ 10 cm de haut disposées en touffes et qui portent des épines brunes et des fleurs rouges, longues de 6 cm.

L. famatimensis (le Lobivia de Famatima) atteint de 10 à 15 cm de haut, et 5 cm d'épaisseur ; il porte des épines droites blanchâtres d'environ 6 mm de long et des fleurs allant du jaune au rouge longues de 7 à 8 cm. *L. hertrichiana*, globulaire, de couleur verte, atteint 10 cm de diamètre et porte des épines brun-jaune entourant un aiguillon central courbe. Cette espèce produit des rejets et porte des fleurs rouge vif.

CULTURE. Le lobivia prospère avec quatre heures d'ensoleillement ou de douze à quatorze heures de lumière artificielle intense par jour ; en été, toutefois, la lumière solaire trop forte doit être tamisée pour ne pas endommager la plante. En hiver, assurez-lui une température de 2 à 7 °C la nuit, inférieure à 18 °C le jour. Un hiver sec et frais est indispensable à la formation des boutons à fleur. Du printemps à l'automne, il est souhaitable de maintenir la température de 18 à 21 °C la nuit, et de 24 à 29 °C pendant la journée.

Laissez le sol devenir sec avant d'arroser abondamment pendant la période active de la végétation ; en hiver, arrosez juste assez pour éviter la flétrissure. Pulvérisez régulièrement de l'eau sur les plantes pour éviter l'invasion des tétranyques. Ne fertilisez pas durant la première année les plantes fraîchement mises en pot, mais mettez tous les quinze jours, pendant la période active de la végétation, à celles qui sont établies, un engrais riche en phosphore dilué à 75 p. 100. Certaines espèces à racines charnues et épaisses doivent être rempotées à chaque printemps — les autres doivent l'être, seulement quand elles sont à l'étroit dans le pot qu'elles occupent.

Employez un mélange à parts égales de compost pour plantes en pot et de sable granuleux, enrichi, par 4,5 litres de mélange, d'une cuillerée et demie à soupe de calcaire broyé et d'autant de poudre d'os.

Les lobivias peuvent pousser à l'extérieur dans des endroits chauds et abrités, à condition d'être protégés de la pluie et de l'humidité en hiver par une vitre ou un châssis. Plantez-les dans du sable gras en veillant à leur assurer un bon drainage, en particulier en hiver, et procurez-leur un peu d'ombre en plein été.

Multipliez en toute saison à partir de graines ou de rejets prélevés au pied des plantes établies.

LOBIVIA LONGISPINA. Voir *Echinopsis*

LOPHOCEREUS

L. schottii, appelé aussi *Cereus* et *Pilocereus schottii* ; *L. schottii* « Monstrosus »
Taille : jusqu'à 5 m de haut pour la plante adulte

Cette cactée porte au sommet de sa tige des épines grises vrillées ressemblant à des soies et longues de 2 à 10 cm. Plusieurs fleurs roses nocturnes, de 2 à 3 cm, apparaissent au printemps et en été, suivies par des fruits comestibles rouges d'environ 2,5 cm de diamètre. La partie inférieure de la tige est garnie d'épines courtes et trapues de moins de 4 mm de long.

Originaire de l'Arizona et du Mexique, *L. schottii* a des tiges vertes garnies de côtes obtuses, ramifiées à partir du pied ; elles atteignent de 4 à 5 m de haut et forment des touffes. Les jeunes plants ont une croissance lente et conviennent parfaitement à une exposition sur un rebord de fenêtre.

L. schottii « Monstrosus » a normalement une forme de colonne ; mais, en raison d'une malformation du sommet végétatif due probablement à un virus, les cultivars sont couverts de loupes irrégulièrement espacées. Les côtes et la plupart des épines ont disparu de ces plantes.

CULTURE. Ces cactées prospèrent avec au moins quatre heures d'ensoleillement par jour. En hiver, une température de 4 à 7 °C la nuit et inférieure à 18 °C le jour est idéale. Du printemps à l'automne, cette température doit être de 18 à 21 °C la nuit et de 24 à 29 °C le jour. Durant cette période, laissez le dessus du sol sécher complètement avant d'arroser abondamment. Mais, en hiver, mettez juste ce qu'il faut d'eau pour éviter que les plantes ne se flétrissent.

Lobivia hertrichiana

Lophocereus schottii « Monstrosus »

MAMILLAIRE
Mammillaria hahniana

MAMILLAIRE
Mammillaria parkinsonii

Quand elles sont parfaitement établies, donnez-leur, une fois à chaque printemps, un engrais pour plantes d'appartement à la concentration indiquée par le fabricant. Utilisez pour les lophocereus un mélange à parts égales de compost pour plantes en pot et de sable granuleux, auquel vous ajouterez par 4,5 litres de mélange une cuillerée et demie à soupe de calcaire broyé et la même quantité de poudre d'os.

Multipliez en toute saison à partir des jeunes plantes qui peuvent apparaître au pied des sujets établis, ou encore à partir de graines.

M

MALACOCARPUS. Voir *Notocactus*

MAMMILLARIA

M. bocasana (Mamillaire de Bocas); *M. candida*; *M. densispina*, appelé aussi *Leptocladodia densispina*; *M. elongata*, appelé aussi *Leptocladodia elongata*; *M. hahniana*; *M. multiceps*, appelé aussi *M. prolifera* var. *multiceps* (Mamillaire prolifère); *M. parkinsonii*; *M. plumosa* (Mamillaire plumeuse); *M. rhodantha*; *M. schiedeana*; *M. zeilmanniana*
Taille: jusqu'à 20 cm de haut

Un amateur de cactées qui se consacrerait à la culture des seules mamillaires y trouverait une variété et un intérêt infinis, car elles constituent un genre important comptant plus de cent cinquante espèces dont les aiguillons, les couleurs et le port présentent des différences considérables entre elles. Certaines ont des tiges uniques arrondies, d'autres forment d'énormes touffes; leurs tiges peuvent être couvertes de longs poils blancs, d'épines molles ou dures, et même de véritables crochets.

Le point commun des mamillaires est qu'elles ne possèdent pas de côtes mais que leurs tiges portent des protubérances garnies d'épines à leur extrémité. Les fleurs, apparaissant au printemps et en été, forment en général des guirlandes au sommet des tiges. Blanc, jaune, rose et magenta sont les teintes les plus fréquentes. Les fleurs cèdent la place à des fruits rouge brillant qui peuvent tenir de nombreux mois sur la plante.

La plupart des mamillaires fleurissent quand elles sont jeunes; la floraison des plantes propagées par graines se produit au bout de quatre ou cinq ans. Elles sont très décoratives sur une fenêtre même quand elles ne sont pas en fleur; elles sont faciles à cultiver et restent petites.

M. bocasana (la Mamillaire de Bocas) est l'une des cactées les plus prisées. Espèce formant des touffes, elle a des tiges bleu-vert arrondies ou ovales, de 5 cm d'épaisseur, couvertes de houppes de poils blancs soyeux dont chacune entoure un aiguillon en crochet d'une teinte qui va du jaune au rouge. Des fleurs jaune crème, d'une longueur de 2 cm environ, s'ouvrent à profusion au printemps, suivies par des capsules de graines roses, longues de 2,5 cm.

M. candida, le joyau de ce groupe de mamillaires, a des tiges bleu-vert en forme de sphère aplatie au sommet, épaisses d'environ 8 cm et couvertes de minuscules épines blanches. Des fleurs roses, longues de quelque 2 cm, apparaissent sur les tiges au début de l'été.

M. densispina a des tiges globulaires atteignant 10 cm d'épaisseur et portant des houppes de poils laineux; ces tiges sont recouvertes d'un lacis serré de fines épines jaunes et blanches. Les fleurs, de 2 cm, sont jaunes.

M. elongata (ou *Leptocladodia elongata*) a des tiges en forme de doigt réunies en touffes de 10 cm de haut, couvertes d'un fin réseau de minces épines jaunes. Les fleurs jaunes, longues de 12 mm, s'ouvrent en été.

M. hahniana est une plante à poils blancs, dont la tige globulaire a une dizaine de centimètres d'épaisseur; elle produit des rejets quand elle arrive à maturité. Cette espèce est recouverte de soies ondulées, ressemblant à des cheveux, et d'épines, qui se chevauchent. Ses fleurs, d'un rouge violacé et longues de 2 mm, s'ouvrent en été.

Les tiges en touffe de *M. multiceps* (la Mamillaire prolifère) sont globulaires ou ovales, longues d'environ 2,5 cm, avec des épines blanches courtes et d'autres longues et rouges. Les fleurs, petites, sont jaunes.

M. parkinsonii, également à port en touffes, a des tiges hautes de 15 cm et épaisses de 7 à 8 cm. Des protubérances bien alignées portent des épines blanches à bout noir. Les fleurs blanches et roses, longues de 12 mm, apparaissent à la fin de l'été.

M. plumosa (la Mamillaire plumeuse) a l'apparence d'un petit dôme blanc d'environ 8 cm d'épaisseur ; les tiges sont difficiles à apercevoir parce qu'elles sont entièrement recouvertes d'épines blanches molles. Cette plante qui ne fleurit pas volontiers produit parfois des fleurs vert blanchâtre longues de 12 mm.

M. rhodantha peut atteindre 30 cm de haut et a une tige unique ou plusieurs en touffe, couvertes d'épines blanches, jaunes, rouges ou marron, mêlées à des houppes de poils soyeux ou laineux. Les fleurs, d'un rouge violacé brillant, sont longues de 2 cm.

M. schiedeana a des tiges en touffe atteignant 10 cm de haut et 4 cm d'épaisseur, couvertes d'épines blanches soyeuses et de houppes de poils blancs laineux. Les fleurs blanches sont longues d'environ 2 cm.

M. zeilmanniana pousse généralement en spécimen isolé, mais peut néanmoins former des touffes ; ses tiges globulaires atteignent quelque 6 cm de haut. Cette cactée est couverte de fines soies mélangées à des épines plus grandes en crochet ; ses fleurs violettes ont 2 cm de diamètre.

CULTURE. Les mamillaires prospèrent en appartement avec au moins quatre heures d'ensoleillement ou douze heures de lumière artificielle intense par jour. En hiver, elles demandent une température de 4 à 10°C la nuit et inférieure à 18°C le jour. Du printemps à l'automne, il leur faut une température de 16 à 21°C la nuit et de 24 à 29°C le jour. Durant toute cette époque, laissez le sol devenir sec au toucher avant d'arroser ; en hiver, arrosez encore moins : donnez aux plantes juste assez d'eau pour qu'elles ne se flétrissent pas.

Ne fertilisez pas les plantes nouvellement mises en pot pendant la première année ; quand elles sont établies, mettez-leur, une fois à chaque printemps, un engrais riche en phosphore à la concentration indiquée par le fabricant. Pour avoir une croissance plus rapide, rempotez au début du printemps ; autrement, ne le faites que lorsque les plantes sont à l'étroit. Utilisez un mélange à parts égales de compost pour plantes en pot et de sable granuleux, plus une cuillerée et demie à soupe de calcaire broyé et autant de poudre d'os par 4,5 litres de ce mélange terreux.

Multipliez à partir des rejets du pied de la plante, ou à partir de graines.

MAMMILLARIA CAMPTOTRICHA. Voir *Pseudomammillaria*

MELOCACTUS
M. bahiensis ; M. intortus ; M. matanzanus
Taille : de 8 à 90 cm de haut

Ces plantes très particulières possèdent à leur sommet, lorsqu'elles sont adultes, une sorte de coiffe laineuse sur laquelle poussent les fleurs. Il en existe environ trente-six espèces originaires de l'Amérique tropicale et des Antilles. De forme globulaire ou cylindrique, elles possèdent vingt-deux côtes proéminentes armées d'aiguillons robustes. Les petites fleurs qui apparaissent sur la coiffe des plantes adultes se referment la nuit. Cette coiffe, d'un diamètre inférieur à celui de la plante, porte des épines laineuses et soyeuses généralement marron. Une fois bien formée, la plante ne grandit généralement plus.

Les tiges en forme de tonneau de *M. bahiensis* peuvent atteindre 10 cm de haut et 15 cm d'épaisseur. Elles portent des épines brunes et de petites fleurs roses.

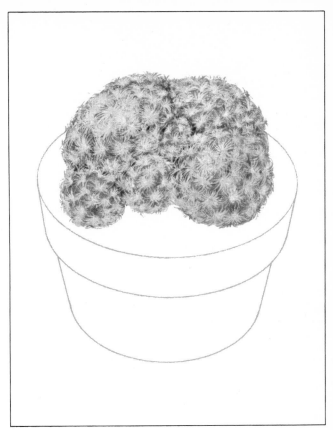

MAMILLAIRE PLUMEUSE
Mammillaria plumosa

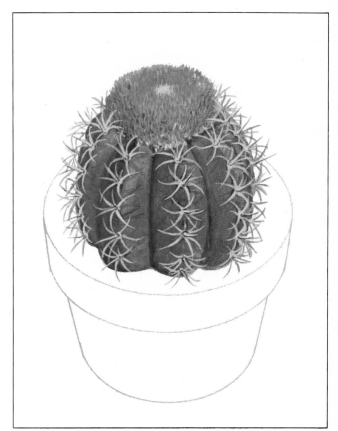

Melocactus matanzanus

Myrtillocactus geometrizans

M. intortus, l'espèce la plus grande, atteint 90 cm de haut et 40 cm de diamètre, et sa coiffe est haute de 45 cm pour un diamètre de 10 cm. Il a des épines brun rougeâtre et des fleurs roses longues de 2 cm.

M. matanzanus, originaire de Cuba, ne dépasse pas 8 cm de haut et 10 cm de diamètre. Des rangées régulières d'épines couleur crème garnissent ses côtes. Ses fleurs roses ont environ de 2 cm de long.

CULTURE. Les mélocactus prospèrent à l'intérieur avec au moins quatre heures d'ensoleillement, ou de douze à seize heures d'éclairage artificiel intense par jour. Ils poussent bien cependant sous une bonne lumière solaire indirecte. Assurez-leur toute l'année une température de 18 à 29°C. Ils supportent très mal le froid, et le thermomètre ne doit jamais descendre en dessous de 16°C, de nuit comme de jour.

Laissez le sol devenir sec au toucher avant d'arroser abondamment pendant toute la saison active de la végétation; quand les plantes sont au repos, donnez-leur juste assez d'eau pour éviter qu'elles ne se flétrissent.

Ne fertilisez pas pendant la première année les plantes nouvellement établies; mettez à chaque printemps aux sujets qui viennent d'être mis en pot et qui n'ont pas de coiffe un engrais pour plantes d'appartement à la concentration indiquée par le fabricant. Aux sujets dotés d'une coiffe, mettez le même engrais tous les deux mois pendant la période active de la végétation.

Les mélocactus ont des racines peu profondes mais étendues, et ils doivent être rempotés, dès qu'ils sont à l'étroit, dans un mélange à parts égales de compost pour plantes en pot et de sable granuleux, plus une cuillerée et demie à soupe de calcaire broyé et autant de poudre d'os par 4,5 litres de mélange terreux.

Multipliez en toute saison à partir de graines.

MESEMBRYANTHEMUM

Voir *Carpobrotus*, *Conophytum*, *Cryophytum*, *Dorotheanthus*, *Drosanthemum*, *Faucaria*, *Fenestraria*, *Lampranthus* et *Trichodiadema*

MYRTILLOCACTUS

M. geometrizans

Taille : jusqu'à 4 m en pleine terre; jusqu'à 1,50 m en pot

Originaire du Mexique, cette espèce a des tiges bleu-vert lisses qui se ramifient abondamment en forme de candélabre dans la nature. En appartement, la plante a peu de rameaux, reste petite et fleurit rarement; on la cultive pour la couleur originale de sa tige qui a de cinq à huit côtes proéminentes. Les spécimens cultivés en pot n'ont que quelques épines longues de 12 mm environ.

A l'extérieur, dans les endroits chauds et abrités comme le Sud de la France, *M. geometrizans* porte des fleurs blanches au parfum suave de 2,5 à 4 cm de diamètre, disposées isolément ou par paires. Aux fleurs succèdent des fruits violets comestibles ressemblant à du raisin quand ils sont séchés, et fort prisés au Mexique. La plante fait un bon porte-greffe.

CULTURE. Cette cactée demande un bon éclairage et prospère avec au moins quatre heures d'ensoleillement par jour. En hiver, il lui faut une température plus élevée que la plupart des autres cactées : au moins 13°C la nuit et environ 18°C le jour, bien qu'elle puisse supporter jusqu'à 7°C à l'occasion à condition qu'elle soit dans un emplacement bien abrité. Du printemps à l'automne, il lui faut une température de 18 à 21°C la nuit et de 24 à 29°C le jour.

A l'extérieur, n'arrosez le myrtillocactus que quand il fait très chaud; évitez de le faire en hiver, au début du printemps et à la fin de l'automne; au contraire, protégez-le à cette période de l'année par des panneaux de verre pour le garder au sec. Si vous le cultivez à l'intérieur, laissez la moitié supérieure du sol sécher complètement avant d'arroser abondamment, du printemps à l'automne. En hiver, donnez à la plante juste ce qu'il faut d'eau pour qu'elle ne se flétrisse pas.

Neoporteria chilensis

Ne fertilisez pas durant la première année les plantes nouvellement mises en pot ; mettez aux sujets établis, une fois à chaque printemps, un engrais pour plantes d'appartement à la concentration indiquée par le fabricant. Utilisez un mélange à parts égales de compost pour plantes en pot et de sable granuleux, plus une cuillerée et demie à soupe de calcaire broyé et autant de poudre d'os par 4,5 litres de ce mélange terreux.

Multipliez au printemps ou en été à partir de boutures des sommets ou des jeunes plants qui apparaissent au pied des sujets établis, ou encore à partir de graines.

N

NEOCHILENIA. Voir *Neoporteria*

NEOPORTERIA
N. chilensis, appelé aussi *Neochilenia chilensis* ; *N. nidus* var. *senilis*
Taille : de 7 à 25 cm de haut

Plantes de haute altitude originaires des Andes, ces cactées plutôt sphériques quand elles sont jeunes deviennent progressivement cylindriques. En automne, elles portent à leur sommet des fleurs rouges, roses ou jaunes, dont les pétales sont nombreux.

N. chilensis, qui atteint au maximum 25 cm de haut et 10 cm de diamètre, produit des fleurs de 5 cm de large. Des aiguillons radiaux blancs ou blanchâtres, longs d'une douzaine de millimètres, entourent des aiguillons centraux légèrement plus grands.

N. nidus var. *senilis* a de 7 à 8 cm de haut et 6 cm de diamètre. Entièrement recouvert d'épines blanches molles atteignant 3 cm de long, il est couronné par un dôme large de 7 à 8 cm de fleurs blanches à l'extrémité rose.

CULTURE. Ces plantes prospèrent avec au moins quatre heures par jour de lumière tamisée, mais elles poussent assez bien en lumière solaire indirecte comme celle réfléchie par des murs clairs. En hiver, la température optimale va de 4 à 7°C la nuit à 18°C au maximum le jour. Du printemps à l'automne, elle doit être de 18 à 21°C la nuit et de 24 à 29°C le jour. Pendant toute cette saison, laissez le dessus du sol devenir sec au toucher avant d'arroser ; en hiver, donnez juste assez d'eau pour éviter que la plante ne se flétrisse. Ne diminuez pas l'arrosage en automne avant que la période active de la végétation ne soit terminée, car ces cactées fleurissent plus tardivement que la plupart des autres, et leur période active se poursuit plus avant en automne.

Ne fertilisez pas pendant la première année les plantes nouvellement mises en pot ; ensuite, mettez-leur tous les deux mois, du printemps à l'automne, un engrais riche en phosphore dilué à 50 p. 100. Quand elles sont à l'étroit dans leur pot, rempotez-les dans un mélange à parts égales de compost pour plantes en pot et de sable granuleux, et ajoutez par 4,5 litres de ce mélange une cuillerée et demie à soupe de calcaire broyé et la même quantité de poudre d'os.

Multipliez à partir de graines en toute saison.

Neoporteria nidus var. *senilis*

NOLINA
N. recurvata, appelé aussi *N. tuberculta* et *Beaucarnea recurvata* (Arbre-bouteille ou Arbre-à-pied-d'éléphant)
Taille : jusqu'à 9 m de haut

Plante grasse originaire des régions arides du Texas et du Mexique, l'Arbre-bouteille est rarement cultivé en appartement bien qu'il prospère avec fort peu de soins. La partie inférieure de la tige, renflée, est un réservoir d'eau. Avec l'âge, la partie supérieure s'allonge et forme un tronc mince couronné par des feuilles recourbées larges de 2 cm, atteignant plus de 1 m de long, qui retombent comme une queue de cheval.

Des épis de petites fleurs blanches apparaissent de manière irrégulière. Cultivée à l'intérieur, la croissance de *N. recurvata* est lente — moins de 2,5 cm par an ; à l'extérieur ou en serre, elle est un peu plus rapide et la plante peut atteindre 9 m. Sa période

ARBRE-A-PIED-D'ÉLÉPHANT
Nolina recurvata

Notocactus apricus

active de végétation se situe au printemps et en été. A l'intérieur, on cultive les Arbres-bouteilles pour leur feuillage; à l'extérieur, on les met dans des caisses pour orner les terrasses et on les rentre en hiver.

CULTURE. L'Arbre-bouteille a besoin d'au moins quatre heures d'ensoleillement et d'au moins douze heures par jour d'un éclairage artificiel intense; mais il pousse assez bien sous une lumière vive réfléchie par des murs clairs. La température idéale est de 10 à 13 °C la nuit, de 20 à 22 °C le jour, un peu plus basse en hiver. *N. recurvata* résiste cependant à des températures allant de 4 à 32 °C. Il n'a pas besoin de beaucoup d'humidité, mais il faut humecter fréquemment les feuilles pour les empêcher de jaunir.

Utilisez un compost pour plantes en pot. Aux plantes établies, mettez une fois par mois, au printemps et en été, un engrais pour plantes d'appartement à la concentration prescrite par le fabricant; attendez un an pour fertiliser les sujets nouvellement mis en pot ou que vous venez d'acheter.

L'Arbre-bouteille demande rarement à être rempoté et peut vivre des années dans un petit conteneur. Quand il est manifestement par trop à l'étroit, remettez-le, au début du printemps avant la reprise de la végétation, dans un pot plus grand. Enlevez la vieille terre du pied de la plante sans exposer les racines.

Multipliez au printemps à partir de graines.

L'Arbre-bouteille ne résiste à l'extérieur que dans les régions chaudes où les gelées d'hiver sont négligeables. Il préfère le grand soleil et une atmosphère très sèche. Le sol doit être composé de sable gras, et enrichi au moment de la plantation par du calcaire et un engrais équilibré. Mettez une fois à chaque printemps de l'engrais complet que vous incorporerez à la surface du sol.

NOPALXOCHIA. Voir *Epiphyllum*

NOTOCACTUS

N. apricus, appelé aussi *Malacocarpus apricus*; *N. haselbergii*, appelé aussi *Malacocarpus haselbergii*; *N. scopa*, appelé aussi *Malacocarpus scopa*

Taille: de 7 à 13 cm de haut

Originaires des savanes d'Amérique du Sud, les *Notocactus* sont des plantes vigoureuses appréciées pour leurs aiguillons souvent brillamment colorés, et pour leurs fleurs aux teintes vives qui apparaissent sur les tiges de mai à juillet. La plupart sont sphériques, mais deviennent cylindriques avec l'âge. Certaines espèces fleurissent jeunes, entre trois et cinq ans, et sont pour cela souvent utilisées en décoration sur le rebord des fenêtres.

La tige vert pâle de *N. apricus* (ou *Malacocarpus apricus*) atteint de 7 à 8 cm de haut en appartement; ses quinze à vingt côtes sont hérissées d'aiguillons jaunes et rouges entrelacés, de 3 cm de long. Des fleurs jaunes de quelque 7 cm de diamètre s'épanouissent au sommet de la plante.

N. haselbergii (ou *Malacocarpus haselbergii*), à croissance lente, atteint de 12 à 13 cm de diamètre; couvert de nombreuses épines blanches molles, il produit, quand il arrive à maturité, des fleurs rouge-orange longues de 12 mm qui tiennent longtemps.

N. scopa (ou *Malacocarpus scopa*) a des tiges à côtes marquées, longues de 10 à 12 cm, et des fleurs jaunes de 6 cm de diamètre. La plante est couverte d'épines blanches et molles entourant des aiguillons centraux noirs.

CULTURE. Cultivées à l'intérieur, ces cactées prospèrent avec au moins quatre heures d'ensoleillement ou douze heures d'éclairage artificiel intense par jour, mais elles poussent assez bien sous une forte lumière indirecte. En hiver, une température de 4 à 7 °C la nuit et inférieure à 18 °C le jour est idéale; du printemps à l'automne, veillez à ce qu'elle soit de 18 à 21 °C la nuit et de 24 à 29 °C le jour.

Au printemps et en été, pendant la période active, laissez le sol devenir sec au toucher avant d'arroser; l'hiver, donnez juste assez d'eau pour que la plante ne se flétrisse pas.

Ne fertilisez pas la première année les plantes nouvellement mises en pot; quand elles sont établies, mettez-leur tous les quinze jours, au printemps et en été, un engrais riche en phosphore dilué à 75 p. 100. Utilisez un mélange à parts égales de compost pour plantes en pot et de sable granuleux enrichi par 4,5 litres de ce mélange d'une cuillerée et demie à soupe de calcaire broyé et d'autant de poudre d'os.

Les notocactus peuvent être multipliés à partir de graines ou à partir des jeunes pousses qui apparaissent parfois au pied des plantes établies.

O

OLIVERANTHUS. Voir *Echeveria*

OPUNTIA
O. aurantiaca, appelé aussi *O. extensa*; *O. bigelowii*; *O. fragilis*; *O. humifusa*, appelé aussi *O. mesacantha* et *O. rafinesquei*; *O. microdasys*; *O. paediophila*, appelé aussi *Tephrocactus hossei*; *O. spegazzinii*, appelé aussi *Cylindropuntia spegazzinii*; *O. verschaffeltii*, appelé aussi *Cylindropuntia verschaffeltii*; *O. vulgaris* « Variegata », appelé aussi *O. monocantha* « Variegata ». (Tous sont aussi appelés oponces, nopals et raquettes.)
Taille : jusqu'à 6 m de haut

Parmi les plus connues de toutes les cactées, les oponces, que l'on trouve surtout dans le désert, comprennent les platyopuntias à tiges charnues et plates, et les cylindropuntias à tiges cylindriques, dont la forme est soit buissonnante, soit arborescente et qui atteignent alors plus de trois fois la taille d'un homme. Les tiges des oponces sont dépourvues de côtes, mais certaines sont hérissées d'aiguillons et toutes portent des glochides — touffes de poils raides et fins, barbelés, très douloureux quand ils s'incrustent dans la peau. Aux fleurs brillamment colorées en forme de roue succèdent des fruits, comestibles dans certaines espèces. Ces fleurs et ces fruits font des opuntias des plantes très appréciées au Mexique et en Amérique du Sud.

O. aurantiaca (ou *O. extensa*), presque procombant, a des tiges articulées vert foncé quasi cylindriques, longues de 5 à 15 cm et portant de courtes épines et des fleurs orange ou jaune foncé de 4 à 5 cm de diamètre.

O. bigelowii, de 90 cm à 2,50 m de haut, a des tiges articulées cylindriques de 5 cm de diamètre; il est protégé par des aiguillons rigides atteignant 4 cm de long, jaune argenté et devenant noirs avec l'âge. Des fleurs jaune verdâtre de 4 cm environ de diamètre apparaissent au printemps, suivies par des fruits de même teinte.

O. fragilis, résistant à l'extérieur dans certaines régions d'Europe si on peut le maintenir au sec en hiver, est une plante de 10 cm de haut au port étalé, dont les tiges articulées, longues de 2,5 à 5 cm, sont de forme ovale allongée. Les aréoles blanches, laineuses, sont surmontées par de fragiles aiguillons longs de 3 cm, marron-gris ou blancs. Des fleurs jaune verdâtre apparaissent au printemps et en été.

O. humifusa s'étale volontiers en s'enracinant par le dessous de ses tiges articulées longues de 5 à 15 cm. Pratiquement sans épines, il porte au début de l'été des fleurs jaune d'or dont le centre est rouge.

O. microdasys, une des cactées les plus connues, est un arbuste qui ne dépasse pas 90 cm de haut. Il a des raquettes sans aiguillon de 7 à 15 cm, recouvertes de touffes de glochides qui pénètrent facilement dans la peau et sont très difficiles à extraire. Elles sont rehaussées, en été, par des fleurs jaune pâle.

O. paediophila (ou *Tephrocactus hossei*) forme d'épaisses touffes de tiges articulées ovales, de couleur marron ou gris-vert, garnies d'épines brunes longues de 2 à 10 cm. La plante a des glochides brun rougeâtre et des fleurs d'une douzaine de millimètres de diamètre roses à jaunes.

O. spegazzinii peut atteindre jusqu'à 90 cm de haut au bout de plusieurs années s'il dispose de suffisamment d'espace; il a de nombreuses tiges cylindriques bleu-vert pâle atteignant 30 cm de

Notocactus scopa

OPONCE
Opuntia bigelowii

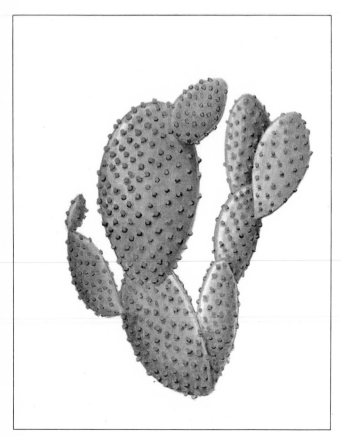

OPONCE
Opuntia microdasys

long. Des fruits rouge foncé bien apparents succèdent à de petites fleurs blanches. Les tiges articulées et les rameaux plus importants tombent tout seuls en automne et forment de nouvelles plantes en s'enracinant.

O. verschaffeltii a des tiges articulées, globulaires ou en forme de cylindre court, qui portent de longs aiguillons minces. La plante est basse à port étalé, mais les vieux sujets atteignent une trentaine de centimètres de haut. Les fleurs d'environ 4 cm de diamètre sont d'un beau rouge sang.

O. vulgaris « Variegata » peut ressembler à un arbre et atteindre 6 m de haut mais, en pot, il croît très lentement et se maintient pendant des années à 30 ou 60 cm. Ses tiges articulées sont plates et ovales, et presque sans épines ; elles mesurent quelque 30 cm et ses fleurs jaunes de 7 à 8 cm de diamètre.

CULTURE. Les *Opuntias* prospèrent avec quatre heures au moins d'ensoleillement par jour. En hiver, il leur faut une température de 4 à 7°C la nuit et de moins de 18°C le jour ; du printemps à l'automne, maintenez la température nocturne à 18°C et la température diurne entre 24 et 29°C. Pendant cette saison, laissez le sol devenir sec au toucher avant d'arroser ; en hiver, donnez juste assez d'eau pour éviter la flétrissure.

Ne fertilisez pas la première année les plantes nouvellement mises en pot ; par la suite, mettez-leur, une fois au printemps, un engrais équilibré pour plantes d'appartement à la concentration préconisée par le fabricant. Pour accroître la pousse, rempotez chaque année au printemps dans un mélange à parts égales de compost pour plantes en pot et de sable granuleux enrichi, par 4,5 litres de ce mélange, d'une cuillerée et demie à soupe de calcaire broyé et d'autant de poudre d'os.

A l'extérieur, deux oponces résistants, *O. fragilis* et *O. humifosa*, survivront s'ils sont plantés dans un endroit ensoleillé et abrité. Tous les *Opuntias* exigent un sol dont le drainage est rapide. Mettez-leur une fois par an, au printemps, un engrais équilibré à la concentration indiquée par le fabricant.

Multipliez en toute saison à partir de graines ou de boutures.

OREOCEREUS

O. celsianus, appelé aussi *Borzicactus celsianus* et *Pilocereus celsianus* (Cierge de Cels)
Taille : jusqu'à 90 cm

Originaires des pentes des Andes, ces cactées, généralement dressées, cylindriques et formant des touffes, sont caractérisées par les longs poils blancs ou gris qui les recouvrent presque entièrement. Elles ont des épines et des fleurs de toutes les nuances du rouge. Le Cierge de Cels atteint 90 cm de haut ; il est recouvert de poils soyeux blancs et porte des fleurs brun rougeâtre.

CULTURE. Cette plante demande au moins de quatre à six heures d'ensoleillement par jour, mais elle survit néanmoins avec douze ou quatorze heures de forte lumière indirecte ou d'éclairage artificiel intense. En hiver, une température nocturne de 7 à 10°C est recommandée, celle de la journée devant, pour être idéale, se situer entre 18 et 21°C. En été, efforcez-vous de lui assurer une température de 16°C la nuit et de 24 à 29°C le jour.

Le Cierge de Cels a besoin d'être arrosé régulièrement au printemps et en été, légèrement moins en automne ; en hiver, il faut le laisser complètement au sec.

Aux plantes établies, mettez une fois par an au printemps une cuillerée à café de poudre d'os par pot de 10 à 15 cm de diamètre. Pour assurer une croissance vigoureuse, rempotez les jeunes plantes chaque année au printemps. Quand elles sont plus vieilles, le rempotage ne devient nécessaire que tous les deux ou trois ans ou lorsque les spécimens sont trop à l'étroit. Employez un mélange à parts égales de compost pour plantes en pot et de sable granuleux avec, par 4,5 litres de ce mélange, une cuillerée et demie à soupe de calcaire broyé et autant de poudre d'os.

Multipliez au printemps à partir de graines, par bouturage ou encore par division des touffes.

P

PACHYPHYTUM

P. bracteosum; P. compactum; P. oviferum (Plante dragée)
Taille : de 2 à 30 cm de haut

Plantes grasses originaires du Mexique, les *Pachyphytum* ont des feuilles rondes particulièrement épaisses disposées en rosettes. Des fleurs rouge vif, en forme de cloche, apparaissent en grappes sur les côtés des plantes.

P. bracteosum, qui atteint 30 cm de haut, a des feuilles gris clair, linguiformes, incurvées vers le haut. Ses fleurs, longues de 12 mm, s'épanouissent à la fin de l'automne ou en hiver.

P. compactum, qui ne dépasse pas 5 cm de haut, a des feuilles cylindriques longues de 3 cm et produit ses fleurs au printemps.

P. oviferum (la Plante dragée), haute de 6 cm maximum, a des fleurs de 1 à 2 cm de long dont la teinte varie du blanc neige en hiver au rose et au mauve sous les rayons du soleil d'été. Toutes ces espèces poussent bien en appartement sur un rebord de fenêtre bien ensoleillé.

CULTURE. Les pachyphytums prospèrent avec au moins quatre heures d'ensoleillement ou de douze à seize heures de lumière artificielle intense. Ils poussent également assez bien sous une forte lumière indirecte. La température idéale se situe entre 10 et 13 °C la nuit et 24 °C et plus le jour. Du printemps à l'automne, laissez le sol devenir modérément sec entre les arrosages ; en hiver, arrosez juste assez pour éviter la flétrissure.

Ne fertilisez pas la première année les plantes nouvellement mises en pot ; par la suite, mettez-leur une fois par mois, durant l'été, un engrais ordinaire pour plantes d'appartement dilué à 50 p. 100. Quand les pachyphytums sont trop à l'étroit dans leur pot, vous pouvez les rempoter quelle que soit la saison. Utilisez un mélange à parts égales de compost pour plantes en pot et de sable granuleux auquel vous aurez ajouté, par 4,5 litres de ce mélange, une cuillerée et demie à soupe de calcaire broyé et autant de poudre d'os.

Ces plantes peuvent être multipliées en toute saison à partir de boutures de feuilles ou de tiges, ou à partir des rejets.

PARODIA

P. aureispina (Parodia-à-épines-dorées) ; *P. chrysacanthion* (Parodia-à-aiguillons-jaune-d'or) ; *P. erythrantha ; P. mutabilis ; P. sanguiniflora* (Parodia-à-fleurs-rouge-sang) ; *P. schwebsiana*
Taille : de 6 à 10 cm de haut

De croissance lente, mais fleurissant dès la troisième ou quatrième année, ces cactées originaires des plaines et des montagnes d'Amérique du Sud sont très prisées comme plantes d'intérieur. Leurs tiges globuleuses ou cylindriques portent de petits mamelons disposés en spirale ou en ligne droite, au sommet desquels se trouvent les aréoles laineuses garnies de nombreuses épines. Du printemps à l'été, des fleurs en forme de trompette apparaissent — souvent plus de trois à la fois — au sommet de la plante ; elles durent cinq jours et plus. Elles sont suivies par de petits fruits secs remplis de graines qui ressemblent à des grains de poussière.

P. aureispina (le Parodia-à-épines-dorées) est recouvert d'un réseau serré d'épines jaunes atteignant 6 mm. Il ressemble à une boule dorée. Ses fleurs jaunes ou orange ont en général de 2 à 3 cm de long.

P. chrysacanthion (le Parodia-à-aiguillons-jaune-d'or) a des tiges atteignant 6 cm de haut et 5 cm d'épaisseur ; ses épines très fines sont jaunes et ses fleurs, de même couleur, ont quelque 2 cm de long.

P. erythrantha a des fleurs jaunes longues de 3 cm. *P. mutabilis,* dont les aiguillons centraux font une saillie d'une douzaine de millimètres, a des fleurs jaunes ou orange, mais qui sont parfois plus foncées à la base.

P. sanguiniflora, en forme de boule de 10 cm de diamètre environ, a des épines blanches et rougeâtres et des fleurs rouge sang de 4 cm de diamètre.

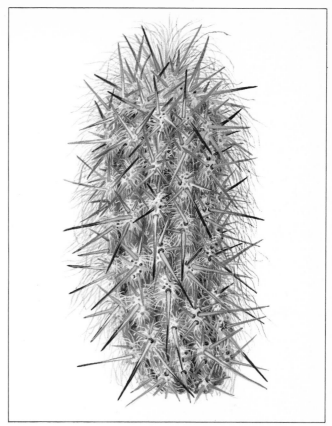

CIERGE DE CELS
Oreocereus celsianus

Pachyphytum compactum

Parodia erythrantha

P. schwebsiana, de 5 à 6 cm de haut, en forme de boule vert pâle brillant, a au sommet une toison laineuse blanche et porte des épines assez épaisses, jaunâtres, brunâtres ou grises. La couleur des fleurs, qui sont longues de 3 à 4 cm, va du rouge rouille au rouge vineux.

CULTURE. Les parodias prospèrent avec quatre heures ou plus d'ensoleillement ou de douze à seize heures de lumière artificielle intense par jour. La température, de 10 à 16 °C la nuit et de plus de 16 °C le jour au printemps et en automne, doit se situer en hiver entre 4 à 10 °C la nuit, et ne pas dépasser 21 °C le jour, si vous souhaitez favoriser la formation des boutons à fleurs. Le sol doit devenir sec au toucher avant d'arroser au printemps et à l'automne, et être maintenu moyennement humide en été. En hiver, donnez aux plantes juste ce qu'il faut d'eau pour qu'elles ne se flétrissent pas.

Ne fertilisez pas la première année les plantes nouvellement mises en pot; mettez à chaque printemps, à celles qui sont établies, un engrais riche en phosphore dilué à 50 p. 100, ou épandez une cuillerée à café de poudre d'os autour du pied. Le rempotage, nécessaire uniquement quand les plantes sont à l'étroit, peut se faire au début du printemps avant la formation des boutons à fleurs. Utilisez un mélange à parts égales de compost pour plantes en pot et de sable granuleux enrichi, par 4,5 litres de ce mélange, d'une cuillerée à soupe et demie de calcaire broyé et d'autant de poudre d'os.

PEDILANTHUS

P. tithymaloides

Taille : de 90 cm à 1,80 m de haut

Cette plante grasse subtropicale est une parente lointaine d'*Euphorbia pulcherrima.* Elle ne porte pas d'épines, mais ses tiges charnues renferment un suc laiteux, toxique, qui irrite la peau. Elle ne produit pas de fleurs remarquables, et celles qui apparaissent parfois à l'extrémité des tiges ont la forme d'une tête d'oiseau avec des ailes. Elle a des feuilles longues de 2 à 8 cm, reliées entre elles par des tiges en zigzag qui font toute la valeur de cette espèce. Elle ne pousse à l'extérieur que dans les régions chaudes et humides.

CULTURE. A l'intérieur, les pédilanthus prospèrent sous une bonne lumière solaire indirecte ou tamisée par des rideaux, ou encore sous un éclairage artificiel d'intensité moyenne. Une très forte humidité et une température de 10 à 21 °C la nuit, de 21 à 29 °C le jour sont idéales. Maintenez la terre en permanence un peu humide.

Du début du printemps à la fin de l'hiver, mettez tous les deux ou trois mois aux spécimens établis un engrais ordinaire pour plantes d'appartement dilué à 50 p. 100. Ou bien épandez une cuillerée à café de poudre d'os autour du pied de chaque plante tous les ans au printemps. Ne fertilisez pas durant tout le reste de l'année et ne mettez jamais d'engrais les six premiers mois aux plantes nouvellement mises en pot. Vous pouvez rempoter au printemps les sujets à l'étroit. Utilisez un mélange à parts égales de compost pour plantes en pot et de sable granuleux auquel vous incorporerez, par 4,5 litres de ce mélange, une cuillerée et demie à soupe de calcaire broyé et autant de poudre d'os.

Multipliez les pédilanthus à n'importe quelle saison à partir de boutures de tiges que vous laisserez sécher à l'ombre pendant deux jours avant de les mettre à enraciner dans du sable ou dans un mélange de sable et de vermiculite.

PERESKIA

P. aculeata, appelé aussi *P. pereskia* (Groseillier de la Barbade); *P. grandifolia,* appelé aussi *P. grandiflora* et *Rhodocactus grandifolius*

Taille : plantes grimpantes, jusqu'à 9 m de haut; arbustes ou arbres, jusqu'à 4,50 m

Avec leurs tiges ligneuses, leurs fleurs semblables à des roses et leur feuillage abondant, les *Pereskia* sont les membres les plus primitifs et les moins charnus de la famille des cactées. Ils ont des épines aiguës et sans gaine, qui poussent le long des tiges et des rameaux ; les feuilles tombent en général en hiver quand la plante est au repos. Les *Pereskia*, que l'on trouve dans les régions tropicales sèches, sont utilisés depuis des siècles comme haies dans leurs pays d'origine, et ce furent probablement les premières cactées à être cultivées. Actuellement, on les utilise surtout comme porte-greffe.

P. aculeata (le Groseillier de la Barbade), cultivé par les Britanniques dès le XVIIe siècle, est un arbuste buissonnant, dressé quand il est jeune ; en vieillissant, il devient une plante grimpante qui peut dépasser 9 m de haut. Ses fleurs à odeur de citron, blanches, jaunes ou roses, ont de 2 à 4 cm de diamètre. Elles sont suivies par des baies jaunes épineuses de 2 cm de diamètre, que l'on consomme aux Antilles et qui ont valu à la plante son nom vulgaire de Groseillier de la Barbade. Au Brésil, on fait cuire ses feuilles et on les utilise comme assaisonnement.

P. grandifolia est un arbuste qui atteint 4,5 m de haut. Sa tige, lisse quand il est jeune, se couvre en vieillissant de nombreuses épines noires de 5 cm. Ses feuilles roses ou blanches ont 4 cm environ de diamètre.

CULTURE. A l'intérieur, les pereskias prospèrent sous une bonne lumière solaire indirecte ou tamisée. Du printemps à l'automne, une température de 18 à 21 °C la nuit et de 24 à 29 °C le jour est idéale ; en l'abaissant en hiver à 10 °C la nuit et à moins de 18 °C le jour, on évitera que les plantes ne perdent toutes leurs feuilles d'un coup. Maintenez le sol humide en été mais sec au toucher entre les arrosages au printemps et en automne ; en hiver, mettez juste assez d'eau pour éviter la flétrissure.

Ne fertilisez pas la première année les plantes nouvellement mises en pot ; mettez une fois par an au printemps, à celles qui sont établies, une cuillerée à café de poudre d'os ou n'importe quel engrais pour plantes d'appartement dilué à 50 p. 100.

Les racines des pereskias se développent rapidement et les plantes doivent être rempotées à chaque printemps. A l'intérieur, on peut leur conserver une dimension raisonnable en les taillant au sécateur. Utilisez un mélange à parts égales de compost pour plantes en pot et de sable granuleux avec, par 4,5 litres de ce mélange, une cuillerée et demie à soupe de calcaire broyé et autant de poudre d'os.

Multipliez à partir de boutures ; à l'inverse de celles des autres cactées, il ne faut pas laisser les boutures des pereskias sécher ni former de cal avant de les mettre à enraciner.

PHYLLOCACTUS. Voir *Epiphyllum*
PILOCEREUS. Voir *Cephalocereus, Espostoa, Lophocereus* et *Oreocereus*

PLEIOSPILOS
P. bolusii ; P. nelii
Taille : de 5 à 8 cm

Ces petites plantes grasses originaires d'Afrique australe ressemblent plus à des pierres qu'à des végétaux. Elles ont une ou deux paires de feuilles mouchetées, en forme de berceau. A la fin de l'été ou en automne, des fleurs sans pédoncule, semblables à des marguerites de 5 à 6 cm de diamètre, apparaissent dans les sillons séparant les feuilles.

P. bolusii a des feuilles vert brunâtre plus larges que longues. Chaque plante peut produire à elle seule à chaque saison jusqu'à quatre fleurs dorées.

P. nelii a des feuilles plus foncées, plus épaisses, parfois teintées de rouge ; ses fleurs de 6 cm ont des couleurs allant du rose au jaune en passant par le saumon.

CULTURE. Ces plantes prospèrent avec au moins quatre heures d'ensoleillement ou de douze à seize heures de lumière artificielle intense par jour. Du printemps à la fin de l'automne, une température de 10 à 18 °C la nuit et de 18 à 27 °C le jour est idéale ; en hiver, maintenez-la de 4 à 10 °C la nuit et au-dessous

Pedilanthus tithymaloides

GROSEILLIER DE LA BARBADE
Pereskia aculeata

Pleiospilos bolusii

POURPIER-EN-ARBRE PANACHÉ
Portulacaria afra « Variegata »

de 18°C le jour. Du printemps à l'automne, laissez le sol devenir sec au toucher entre les arrosages, qui doivent être abondants ; en hiver, donnez aux plantes juste ce qu'il faut d'eau pour qu'elles ne se flétrissent pas.

Ne fertilisez pas pendant une année entière les plantes nouvellement mises en pot ; quand elles sont établies, mettez-leur à chaque printemps une cuillerée à café de poudre d'os ou n'importe quel engrais pour plantes d'appartement dilué à 50 p. 100. Les espèces qui forment des touffes envahissantes peuvent être rempotées au début du printemps si elles sont à l'étroit. Utilisez un mélange de deux tiers de sable granuleux et de un tiers de compost pour plantes en pot avec, par 4,5 litres de ce mélange, une cuillerée et demie à soupe de calcaire broyé et autant de poudre d'os.

Multipliez ces cactées à partir de graines.

PORTULACARIA
P. afra (Pourpier-en-arbre) ; *P. afra* « Variegata » (Pourpier-en-arbre panaché)
Taille : jusqu'à 3,50 m de haut

Le Pourpier-en-arbre est une plante grasse originaire des régions arides de l'Afrique australe où il forme d'épais fourrés. Il peut atteindre 3,50 m de haut dans son habitat naturel, mais les éléphants et les autres animaux qui s'en régalent le « taillent » souvent énergiquement. Ses feuilles vertes succulentes, longues de 8 à 20 mm, ressemblent à celles de *Crassula obliqua* ; les fleurs sont rose pâle et minuscules ; elles apparaissent rarement sur les plantes cultivées. Le cultivar panaché *P. afra* « Variegata » a des feuilles un peu plus grandes, jaunes et vertes ou roses et vertes.

CULTURE. En appartement, le Pourpier-en-arbre prospère avec au moins quatre heures de grand ensoleillement ou de douze à seize heures de forte lumière artificielle par jour. Maintenez toute l'année la température de 7 à 13°C la nuit et de 18 à 24°C le jour. Laissez le sol devenir sec au toucher avant d'arroser abondamment.

Ne fertilisez pas durant un an les plantes nouvellement mises en pot ; à celles qui sont établies, mettez à chaque printemps une cuillerée à café de poudre d'os ou un engrais pour plantes d'appartement à la concentration indiquée. Rempotez au début du printemps — uniquement quand les sujets sont à l'étroit — dans un mélange à parts égales de compost pour plantes en pot et de sable granuleux avec, par 4,5 litres de ce mélange, une cuillerée et demie à soupe de poudre d'os et autant de calcaire broyé. Les portulacarias peuvent être taillés en bonsai.

Multipliez *Portulacaria* par bouturage.

PSEUDOMAMMILLARIA
P. camptotricha, appelé aussi *Mammillaria camptotricha*
Taille : jusqu'à 8 cm de haut

Ces cactées primitivement incluses dans le genre *Mammillaria* se sont vues accorder une place séparée en raison de très légères différences botaniques. Elles ont en général des tubercules plus allongés, de texture moins rude et ayant parfois des aiguillons centraux droits (beaucoup des espèces les plus connues de vraies *Mammillaria* ont des aiguillons à bout recourbé).

P. camptotricha, presque sphérique, atteint environ 7,5 cm de haut. Les spécimens convenablement cultivés forment de grosses touffes qui, avec leur épais revêtement de fines épines jaunes, ressemblent un peu à un nid d'oiseau. Les fleurs blanches sont d'assez petite taille.

CULTURE. *P. camptotricha* prospère en appartement avec au moins quatre heures d'ensoleillement par jour ou au minimum douze heures de lumière artificielle intense. En hiver, il lui faut une température de 4 à 10°C la nuit, et inférieure à 18°C le jour. Du printemps à l'automne, il demande une température de 16 à 21°C la nuit et de 24 à 29°C le jour. Durant cette époque, laissez le sol devenir sec au toucher avant d'arroser ; en hiver, donnez à la plante juste assez d'eau pour lui éviter la flétrissure.

Ne fertilisez pas une plante nouvellement mise en pot pendant la première année ; quand elle est établie, mettez-lui, une fois par an au printemps, un engrais riche en phosphore à la concentration indiquée par le fabricant. Pour avoir une croissance plus rapide, rempotez au début du printemps ; autrement, ne le faites que lorsque la plante est à l'étroit.

Utilisez un mélange à parts égales de compost pour plantes en pot et de sable granuleux ; ajoutez-lui une cuillerée et demie à soupe de calcaire broyé et autant de poudre d'os par 4,5 litres du mélange terreux.

Multipliez à partir des rejets qui poussent au pied de la plante, ou à partir de graines.

R

REBUTIA

R. fiebrigii ; *R. krainziana* ; *R. kupperiana* ; *R. minuscula* ; *R. minuscula* var. *violaciflora*, appelé aussi *R. violaciflora* ; *R. senilis*, appelé aussi *Echinocactus senilis*
Taille : environ 8 cm de haut et 7 cm d'envergure

Les petites fleurs magnifiques et abondantes de ces cactées en font des plantes d'appartement très prisées. La plupart des espèces ont la forme de petits globes recouverts de soie et garnis de mamelons disposés en spirales serrées ; chaque mamelon porte au sommet une aréole hérissée de huit à quarante épines semblables à des aiguilles. Du printemps à l'automne, des masses de fleurs en trompette apparaissent sur les plantes ; elles tiennent quatre jours ou plus, s'ouvrant le matin et se fermant le soir. La floraison est si luxuriante — un seul rebutia peut porter jusqu'à soixante-dix fleurs — qu'elle semble épuiser les plantes, qui vivent rarement plus de trois ou quatre ans ; mais, étant donné qu'elles produisent beaucoup de rejets, leur multiplication est facile.

R. fiebrigii a une tige globulaire de 6 cm de diamètre avec un creux prononcé au sommet. Les épines sont semblables à des soies et sont blanches ; les plus grosses ont la pointe noire. Les fleurs orange vif, de 7 à 8 cm, sont très abondantes.

R. krainziana ressemble à une boule laineuse et blanche, de 5 cm de haut et de 4 cm de large ; il porte des fleurs rouges atteignant 4 cm de diamètre.

R. kupperiana, qui n'a que 4 cm de diamètre, est couvert d'épines brunes en forme d'aiguille longues de 6 mm ; il a des fleurs orange à rouges de 4 cm de long.

R. minuscula est formé de globes de 5 à 6 cm de diamètre couverts d'épines blanches, semblables à des soies, qui portent des fleurs rouge foncé de 4 cm.

R. minuscula var. *violaciflora* porte des épines brunes en forme de soies, longues d'environ 2,5 cm, sur des globes aplatis larges de 3 cm ; ses fleurs allant du rose au violet ont environ 4 cm de diamètre.

R. senilis, haut de 7 à 8 cm et épais de 7 cm, est entièrement recouvert d'épines blanches semblables à des soies, et porte des fleurs rouges de 4 cm de diamètre.

CULTURE. Tous les rebutias poussent bien en appartement, dans des pots peu profonds. Ils prospèrent avec quatre heures au moins de bon ensoleillement par jour mais, en été, il faut les protéger de l'ardeur du soleil de midi. A la lumière artificielle, ils ont besoin de douze heures d'éclairage intense par jour. Du printemps à l'automne, la température idéale est de 10 à 18°C la nuit, de 18 à 29°C le jour ; en hiver, elle doit être de 4 à 7°C la nuit et inférieure à 18°C le jour.

Laissez le sol devenir sec au toucher avant d'arroser abondamment durant la période active de la végétation. Pour avoir de belles fleurs l'année suivante, maintenez les plantes au sec après la floraison en les arrosant juste assez pour qu'elles ne se flétrissent pas. Quand les boutons à fleurs apparaissent autour de la base, arrosez légèrement et mettez la plante dans une pièce plus chaude. Quand les boutons ont pris une couleur rouge, reprenez les arrosages réguliers.

Ne fertilisez pas durant une année entière les rebutias nouvelle-

Pseudomammillaria camptotricha

Rebutia senilis

ment mis en pot ; quand ils sont établis, mettez-leur, une fois par an au printemps, une cuillerée à café de poudre d'os ou un engrais pour plantes d'appartement dilué à 50 p. 100. Rempotez au début du printemps dans un mélange à parts égales de compost ordinaire pour plantes en pot et de sable granuleux, auquel vous ajouterez par 4,5 litres de ce mélange une cuillerée et demie de calcaire broyé et autant de poudre d'os.

Multipliez à partir de graines ou des rejets.

RHIPSALIDOPSIS

R. gaertneri, appelé aussi *Schlumbergera gaertneri; R. x graeserie; R. rosea*
Taille : jusqu'à 30 cm de haut

Ces cactées arboricoles conviennent particulièrement aux paniers suspendus et elles font de bonnes plantes d'appartement. Les portions de tiges à bords dentelés sont aplaties ou en forme d'aile, et les fleurs allongées sont semblables à celles de leur proche parente *Schlumbergera,* mais leurs nombreux pétales peuvent être droits ou recourbés.

R. gaertneri, au port pleureur ou étalé, a de 20 à 30 cm de long, et les portions de ses tiges, longues de 4 à 8 cm, ont le bord violet et dentelé. Ses fleurs écarlates, de 6 à 9 cm de diamètre, apparaissent à profusion au printemps, vers Pâques.

R. rosea est plus petit, moins exubérant, et produit en abondance des fleurs rosées au printemps et au début de l'été. Il existe des hybrides de ces deux espèces *(R. x graeseri)* qui portent des noms particuliers de cultivars.

CULTURE. Pour qu'il ait une belle floraison, *R. gaertneri* doit être tenu au frais un certain temps afin de faire démarrer la formation des boutons. Pendant cette période, la température nocturne ne doit pas dépasser 10 à 13 °C, et peut même être inférieure ; l'éclairage doit être limité à huit ou neuf heures par jour et il ne doit pas y avoir de lumière artificielle le reste du temps. Au bout de quatre ou cinq semaines, les boutons à fleurs doivent être visibles et la température sera portée à 21 °C ou plus le jour, et à 16 à 21 °C la nuit.

Employez un mélange composé pour moitié de tourbe, pour un quart de compost pour plantes en pot et pour le dernier quart de sable granuleux. Pendant la pousse, maintenez le sol à peine humide et mettez de l'engrais une fois par mois. Quand les plantes sont au repos, arrosez juste assez pour qu'elles ne se flétrissent pas et ne mettez aucun engrais.

Multipliez à partir de graines ou de boutures de tiges.

RHIPSALIS

R. baccifera; R. cribrata, appelé aussi *R. pendula; R. paradoxa,* plus correctement appelé maintenant *Lepismium paradoxum; R. robusta; R. shaferi*
Taille : tiges rampantes atteignant 90 cm de long

Avec leurs tiges et rameaux cylindriques, plats ou polygonaux et retombants, ces cactées arboricoles des forêts tropicales font des plantes parfaites pour les paniers suspendus. Leurs rameaux portent de petites aréoles avec des poils ou des soies, mais généralement sans aiguillons ; la plupart des rhipsalis ont des racines aériennes. Leurs nombreuses petites fleurs, ne dépassant pas 2 cm, tiennent de un à huit jours. De petits fruits, semblables à des baies, leur succèdent.

R. baccifera a de minces tiges cylindriques vert pâle, de 6 mm de diamètre environ, couvertes de soies au début mais qui deviennent lisses avec l'âge. Les petites fleurs ne dépassent pas 6 mm et sont suivies par des fruits d'une blancheur transparente et de la grosseur d'un pois.

R. cribrata (ou *R. pendula*) a, quand il est jeune, de longues tiges minces dressées qui retombent par la suite et forment des verticilles avec leurs nombreux rameaux courts ; il n'a que quelques soies et pas de racines aériennes. Des fruits rouges succèdent à ses fleurs un peu en forme de cloche.

R. paradoxa (ou *Lepismium paradoxum*) a la forme d'une

Rhipsalidopsis gaertneri

chaîne en zigzag pouvant atteindre 90 cm de long, avec des rameaux longs d'environ 30 cm. Les jeunes plantes ont de fins poils ou des soies; les plus vieilles, des poils laineux. Sur les sujets établis, des fleurs blanches s'épanouissent parfois pendant trois semaines près de l'extrémité des tiges, et sont suivies par de petits fruits rouges. *R. robusta*, au port érigé, peut atteindre 90 cm de haut; il a des tiges en forme d'aile et des fleurs jaunes dont le bout des pétales est rouge; ces fleurs sont suivies de baies rouges. *R. shaferi* ressemble beaucoup à *R. baccifera*, mais ses tiges — même jeunes — n'ont pas de soies, et ses fleurs blanches sont plus larges avec près de 2 mm de diamètre. Ses fruits sont au contraire nettement plus petits.

CULTURE. A l'intérieur, les rhipsalis prospèrent avec quatre heures de lumière solaire indirecte ou tamisée, ou de dix à douze heures d'éclairage artificiel d'intensité moyenne par jour. Assurez-leur une température de 10 à 18°C la nuit et de 21 à 29°C le jour du printemps à l'automne; de 10 à 13°C la nuit et de moins de 18°C le jour en hiver. Une température plus élevée favoriserait la croissance des tiges au détriment de celle des boutons à fleurs. Maintenez un taux d'humidité relativement élevé.

Utilisez un mélange d'une moitié de tourbe pour un quart de compost pour plantes en pot et un quart de sable granuleux ou de vermiculite, ou bien un mélange pour orchidées composé de deux tiers de fibre d'osmonde et d'un tiers de tourbe grossière. Maintenez le sol à une humidité constante et mettez, tous les quinze jours, du printemps à la fin de l'été, un engrais à faible teneur en azote dilué selon les instructions du fabricant.

En été, vaporisez de l'eau sur les plantes chaque semaine. Pendant le reste de l'année, maintenez le sol plus sec et ne mettez pas d'engrais. Attendez de quatre à six mois avant de fertiliser les plantes après leur mise en pot. Rempotez au printemps les spécimens à l'étroit. Les rhipsalis peuvent passer l'été dehors, accrochés sous des arbres, mais il ne faut pas négliger de les rentrer au début de l'automne.

Multipliez par bouturage ou par division des plantes.

RHODOCACTUS. Voir *Pereskia*
ROCHEA. Voir *Crassula*

S

SANSEVIERIA
S. cylindrica; *S. trifasciata* « Hahnii »; *S. trifasciata* « Laurentii »
Taille: de 15 cm à 1,50 m de haut

Les sansevières sont des plantes grasses aux feuilles ensiformes qui sont portées en touffes circulaires sur d'épaisses tiges souterraines. Ces feuilles dressées, charnues, sont zébrées de gris, de blanc ou de vert. Des fleurs très odorantes en aigrette, blanches, vertes ou roses apparaissent souvent sur les plantes cultivées en appartement qui supportent très bien un faible éclairage et une extrême sécheresse. Mais les sansevières peuvent également faire de très jolies bordures si elles sont cultivées en climat subtropical.

S. cylindrica, l'espèce la plus grande, a des feuilles cylindriques vert foncé atteignant 1,50 m de long sur 3 cm de large, à bandes longitudinales et transversales.

S. trifasciata « Hahnii », qui ne dépasse pas 15 cm de haut, a des feuilles zébrées disposées en rosette de 15 à 20 cm, ressemblant à un nid d'oiseau ou au sommet d'un ananas.

S. trifasciata « Laurentii », la plus connue des sansevières, est très décoratif avec ses feuilles dures bordées de crème et panachées de crème et de vert. Il a généralement jusqu'à 45 cm de haut, mais les spécimens bien soignés peuvent atteindre 1,20 m. La plante fleurit si elle est bien éclairée.

CULTURE. En appartement, les sansevières prospèrent sous des conditions d'éclairage très diverses, depuis le plein soleil — ou presque — jusqu'à la faible lumière d'une fenêtre au nord. La meilleure température est, toute l'année, de 16 à 21°C la nuit et de

Rhipsalis cribrata

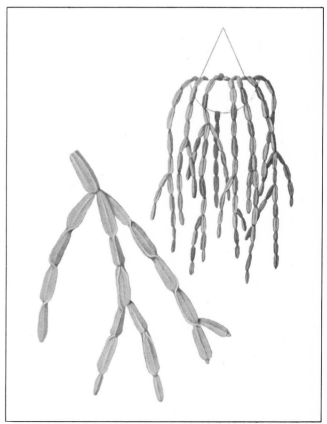

Rhipsalis paradoxa

SANSEVIÈRE
Sansevieria trifasciata « Hahnii »

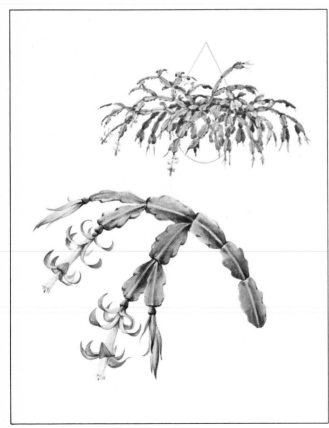

EPIPHYLLUM DE BRIDGES
Schlumbergera bridgesii

21 °C et plus le jour. Du début du printemps à la fin de l'automne, laissez le sol devenir sec au toucher avant d'arroser abondamment ; en hiver, donnez juste assez d'eau pour éviter que les plantes ne se flétrissent.

Mettez de temps à autre de l'engrais aux spécimens établis entre le début du printemps et la fin de l'automne ; ne fertilisez pas pendant le reste de l'année. Attendez au moins de quatre à six mois pour donner de l'engrais après la mise en pot. Le rempotage n'est nécessaire que tous les trois, quatre ou cinq ans. Quand une plante est trop à l'étroit, rempotez-la en toute saison dans un mélange de deux tiers de compost pour plantes en pot et d'un tiers de sable granuleux, plus deux cuillerées à café de poudre d'os et une cuillerée et demie à soupe de calcaire broyé.

Multipliez en toute saison par division des tiges souterraines ou à partir de boutures de feuilles mises dans du sable. Les boutures de feuilles de la variété « Laurentii » pousseront vertes. Pour obtenir le panachage, il faut diviser la plante.

SCHIZOBASOPSIS. Voir *Bowiea*

SCHLUMBERGERA
S. bridgesii (Épiphyllum de Bridges) et *S.* x *buckleyii* ; *S. russelliana* ; *S. truncata,* appelé aussi *Zygocactus truncatus*
Taille : tiges rampantes atteignant 45 cm de long

Ces cactées, originaires des forêts tropicales du Brésil, ont des tiges articulées à segments atteignant 7 cm de long, dont beaucoup se ramifient pour former plusieurs sortes de longues chaînes d'un vert brillant. A leurs extrémités, à l'époque de la floraison, pendent des fleurs satinées à pétales nombreux qui durent plusieurs jours.

S. bridgesii (l'Épiphyllum de Bridges) a des segments de tiges festonnés dont l'extrémité arrondie porte une ou deux échancrures sur chaque côté. Il produit, entre la fin de décembre et le mois de février, des fleurs d'environ 6 cm de long.

S. x *buckleyii* est un hybride de *S. russelliana* et de *S. truncata.* Il atteint de 15 à 30 cm de haut et a des rameaux cintrés composés de segments de tiges ovales, longs d'environ 5 cm, à dents arrondies. Les fleurs, dont la gamme des couleurs s'étend du magenta au rose violacé, ont de 5 à 6 cm de long, et leurs pétales sont recourbés. Elles s'ouvrent en hiver, parfois à Noël, mais ce n'est pas toujours le cas.

S. russelliana atteint 15 cm de haut, quelquefois plus, et a des segments de tiges longs d'environ 4 cm, dont chacun n'a qu'une ou deux encoches sur les bords. Les fleurs, de 6 à 8 cm, sont couleur magenta, aux pétales droits, et s'épanouissent de la fin de l'hiver au printemps.

S. truncata possède, sur chaque côté de ses segments de tiges, de deux à quatre dents proéminentes et incurvées. Ses fleurs roses virent à une teinte blanchâtre aux alentours de l'espèce de tube qui les relie à la tige. Elles s'épanouissent généralement en automne.

Tous les schlumbergeras conviennent surtout à une exposition en paniers suspendus.

CULTURE. Cultivés à l'intérieur, les schlumbergeras prospèrent à la lumière solaire indirecte ou tamisée. Avant de fleurir, ils exigent une température nocturne de 10 à 13 °C. Pour assurer la floraison de *S. bridgesii* et de *S. truncata,* mettez-les à l'extérieur du début de l'automne jusqu'à l'apparition des premières gelées. Pendant cette période, ne leur donnez aucun éclairage la nuit et limitez l'exposition à la lumière du jour à huit ou neuf heures ; maintenez ce régime jusqu'à l'apparition des premiers boutons, qui survient au bout de quatre ou cinq semaines. Quand ils se sont formés — et c'est valable pour toutes les espèces —, la température idéale est alors de 16 à 21 °C la nuit et de 21 °C ou plus le jour.

Utilisez un mélange composé pour moitié de tourbe, pour un quart de compost pour plantes en pot et pour l'autre quart de sable granuleux ou de vermiculite. Pendant la pousse, maintenez le sol humide et mettez, une fois par mois, un engrais riche en phosphore à la concentration prescrite. En période de repos de la végétation, arrosez juste assez pour éviter la flétrissure, et ne fertilisez pas.

Vous pouvez garder ces cactées à l'extérieur, en veillant à ce qu'elles aient un peu d'ombre en été ; mais rentrez-les avant les premières gelées.

Multipliez à partir de graines ou de boutures de tiges en toute saison, sauf pendant la formation des boutons.

SCHLUMBERGERA GAERTNERI. Voir *Rhipsalidopsis*

SCILLA
S. violacea (Scille violette)
Taille : environ 15 cm de haut

Bien que la Scille violette semble être le même genre de plante bulbeuse que les scilles plus communes qui fleurissent au printemps dans nos jardins, c'est en réalité une plante grasse tropicale que l'on ne peut cultiver qu'en appartement parce que ses racines risquent de pourrir à l'extérieur dans nos pays. Des inflorescences brunes, hautes de 10 à 13 cm, s'élèvent entre ses feuilles vertes mouchetées. Les fleurs, en forme de petite cloche, peuvent apparaître au début du printemps sur les plantes âgées de quatre ans.

CULTURE. La Scille violette prospère sous une lumière solaire indirecte ou tamisée, ou douze heures d'éclairage artificiel par jour. Une température de 10 à 13 °C la nuit et de 18 à 25 °C le jour est l'idéal.

Mettez les nouveaux bulbes en pot au début de l'automne dans un mélange composé de deux cinquièmes de terre grasse, de deux cinquièmes de terreau de feuilles et de un cinquième de poudre de charbon de bois, ou encore de deux tiers de compost pour plantes en pots et de un tiers de sable granuleux. Ajoutez, par 4,5 litres de mélange, une cuillerée et demie à soupe de calcaire broyé et autant de poudre d'os.

La Scille violette formant de grosses touffes de bulbes à fortes racines, mettez-la en pot de 25 cm de diamètre pour qu'elle ne soit pas à l'étroit, et placez-la dans un endroit frais et peu éclairé pendant huit à dix semaines, avant de l'exposer à la lumière solaire indirecte. Maintenez le sol humide pendant la période active de la végétation.

Multipliez la Scille violette à partir de rejets bulbeux.

SEDUM
S. album ; S. hirsutum ; S. lineare « Variegatum » (Orpin panaché) ; *S. morganianum ; S. palmeri ; S. rubrotinctum ; S. sieboldii ; S. spathulifolium ; S. spectabile ; S. weinbergii,* appelé maintenant par certains spécialistes *Graptopetalum paraguayense.* (Tous sont appelés orpins.)
Taille : de 7 à 60 cm de haut ; tiges rampantes pouvant atteindre 90 cm de long

Les orpins, plantes grasses très prisées pour leurs grandes facultés d'adaptation, ont des tiges rampantes et souvent ne dépassent pas 7 à 10 cm de haut. Ils ont de petites feuilles charnues persistantes ou semi-persistantes, de formes, de dimensions et de couleurs très variables. Leurs fleurs, en forme d'étoile, s'épanouissent à des périodes réparties sur toute l'année selon les espèces et leur emplacement.

S. album (l'Orpin blanc), rampant, a des tiges de 5 à 7 cm portant des feuilles persistantes de 6 mm dont le bout est teinté de rouge en hiver. A la fin de l'été, il produit des fleurs blanches.

S. hirsutum a des feuilles à l'odeur poivrée, longues de 12 mm et disposées en rosettes serrées. Les fleurs blanches, d'une douzaine de millimètres, sont souvent veinées de rouge et s'épanouissent de la fin de l'hiver au début de l'été.

S. lineare « Variegatum » (l'Orpin panaché) atteint plus de 15 cm de haut ; ses feuilles pointues, longues de 2 à 3 cm, sont bordées de blanc. Les fleurs jaunes, de 12 mm de diamètre, apparaissent à la fin du printemps ou au début de l'été.

SCILLE VIOLETTE
Scilla violacea

ORPIN PANACHÉ
Sedum lineare « Variegatum »

Sedum rubrotinctum

S. morganianum a des feuilles très légèrement fixées, longues de 2 à 3 cm, en forme de larme; elles sont si étroitement imbriquées que la tige qui les porte ressemble à une natte. Les feuilles, d'un jaune verdâtre, sont recouvertes d'une pruine bleutée. Les fleurs rose foncé, d'une douzaine de millimètres de diamètre, apparaissent au printemps.

S. palmeri, au port plutôt buissonnant, doit être protégé du froid en hiver — il peut être mis en serre par exemple. Il atteint de 15 à 25 cm de haut, porte des feuilles bleu-vert en forme de cuillère et des fleurs en épis cintrés s'épanouissant au printemps ou en été, la précocité de la floraison dépendant de la chaleur du site dans lequel se trouve la plante.

S. rubrotinctum, qui est l'un des orpins les plus vigoureux, a des feuilles vertes charnues, de 1 à 2 cm, dont les extrémités sont brun rougeâtre et virent au rouge sous l'effet du soleil. Il porte des grappes de fleurs jaunes, en hiver ou au printemps.

S. sieboldii a des tiges violacées atteignant en général de 15 à 25 cm de long et couvertes de trois rangées de spirales de feuilles de 12 mm à bords ondulés. A l'automne, des grappes arrondies de fleurs roses de 12 mm de diamètre se forment au sommet des tiges; puis la plante meurt quand vient l'hiver.

S. spathulifolium a des rosettes de feuilles longues de 12 à 30 mm qui se déploient au sommet des rameaux fourchus. Les fleurs jaunes, d'une douzaine de millimètres, s'épanouissent à la fin du printemps.

S. spectabilis a des feuilles dentelées souples atteignant de 7 à 8 cm de long et 5 cm de large, disposées en groupes de deux, trois ou quatre, le long des tiges de 30 à 60 cm. A la fin de l'été apparaissent des grappes de fleurs de teintes diverses. Parmi les meilleurs cultivars, citons *S.s.* « Autumn Joy », de couleur rose saumon; *S.s.* « Iceberg », blanc verdâtre; et *S.s.* « Brilliant », rose foncé.

S. weinbergii a des feuilles de couleur bleuâtre, larges de 12 à 25 mm, qui se déploient en rosettes le long des tiges rampantes qui atteignent une trentaine de centimètres de long. Les fleurs vertes et blanches de 2 cm de diamètre s'épanouissent à la fin de l'hiver ou au début du printemps.

Les orpins font de bons sujets de jardins de rocaille ou des bordures de massifs de fleurs; ceux qui ont des tiges rampantes conviennent bien aux paniers suspendus.

CULTURE. Les orpins prospèrent à l'intérieur avec quatre heures au moins d'ensoleillement ou de douze à seize heures de lumière artificielle intense. Ils poussent assez bien sous une forte lumière indirecte. Assurez-leur une température de 10 à 18 °C la nuit et de 20 à 27 °C le jour au printemps, en été et en automne; et de 4 à 10 °C la nuit et de 18 °C au maximum le jour en hiver.

Laissez le sol devenir sec au toucher entre les arrosages abondants; donnez juste assez d'eau, en hiver, pour éviter la flétrissure aux plantes qui, comme *S. spectabilis* et *S. sieboldii,* sont à moitié au repos durant cette saison. *S. spectabilis* est résistant dans nos régions et peut rester dehors toute l'année.

Aux plantes établies, mettez trois fois par an — au début et à la fin du printemps, et à la fin de l'été — un engrais pour plantes d'appartements dilué à 50 p. 100. Ne fertilisez pas pendant le reste de l'année et attendez de quatre à six mois avant de mettre de l'engrais après la mise en pot. Les plantes rampantes ont rarement besoin d'être rempotées. Les racines de *S. morganianum* étant très cassantes, il vaut mieux arroser et fertiliser plus souvent les vieilles plantes à l'étroit que d'essayer de les rempoter. Quand le rempotage est indispensable, employez un mélange à parts égales de compost pour plantes en pot et de sable granuleux enrichi, par 4,5 litres de ce mélange, d'une cuillerée et demie à soupe de calcaire broyé et autant de poudre d'os.

S. album, S. spectabilis, S. sieboldii et *S. spathulifolium* résistent bien à l'extérieur, en plein soleil ou sous une ombre légère. La plupart supportent à peu près n'importe quel sol bien drainé, même pauvre et situé dans un endroit sec, mais *S. spathulifolium* préfère une terre meuble, humide, et doit être protégé en serre pendant l'hiver de la pluie et du vent. Plantez à n'importe quel moment où la terre peut être travaillée, en espaçant les plants de 25 à 30 cm. Ne fertilisez pas.

Multipliez les orpins en toute saison par bouturage ou par division des plantes.

SELENICEREUS
S. grandiflorus, appelé aussi *Cereus grandiflorus* (Reine-de-la-Nuit)
Taille : jusqu'à 5 m

Originaire des Antilles, *S. grandiflora* (la Reine-de-la-Nuit) possède des fleurs géantes qui embaument l'air nocturne d'une délicieuse odeur de vanille, et se ferment à l'aube. C'est une cactée arboricole pourvue de longues tiges à huit côtes et atteignant 5 m de long et 2 ou 3 cm d'épaisseur ; elle porte de courts aiguillons acérés et de nombreuses racines aériennes grimpantes. Les tiges, qui peuvent croître de quelque 90 cm par an, doivent être palissées contre un treillage quand les plantes sont cultivées à l'intérieur, ou contre un poteau ou un arbre à l'extérieur. Les grandes fleurs blanches, larges de 15 à 25 cm, n'apparaissent que sur les plantes bien établies.

CULTURE. La Reine-de-la-Nuit prospère sous une bonne lumière solaire indirecte ou tamisée, et dans une atmosphère assez humide. Assurez-lui une température de 16 à 18°C la nuit et de 21 à 29°C le jour, du printemps à l'automne ; en hiver, elle doit se maintenir entre 10 et 13°C la nuit et à moins de 18°C le jour. (Une température plus élevée en hiver empêcherait la formation des boutons à fleurs.)

Utilisez un mélange composé pour moitié de tourbe, pour un quart de compost ordinaire pour plantes en pot et pour le dernier quart de sable granuleux ; ou encore utilisez un mélange pour orchidées composé à parts égales de fibre d'osmonde et de tourbe grossière. Maintenez le mélange constamment humide et mettez tous les quinze jours, du printemps à la fin de l'hiver, un engrais pour plantes d'appartement à basse teneur en azote et dilué à 50 p. 100 ; en été, vaporisez chaque semaine de l'eau sur les plantes. Pendant tout le reste de l'année, maintenez-les suffisamment au sec et ne les fertilisez pas. Attendez de quatre à six mois avant de mettre de l'engrais après la mise en pot.

Multipliez en toute saison à partir de boutures de sommets végétatifs ou de segments de tiges.

SEMPERVIRUM
S. arachnoideum (Joubarbe-toile-d'araignée) ; S. grandiflorum ; S. kosaninii ; S. montanum (Joubarbe des montagnes) ; S. soboli-ferum, appelée aussi *Jobarba soboliferum ; S. tectorum* (Joubarbe des toits).* (Tous sont appelés joubarbes.)
Taille : de 12 mm à 10 cm de diamètre

Les joubarbes sont des plantes grasses alpines persistantes à feuilles charnues cunéiformes, disposées en petites rosettes et entourées, lorsque la plante est adulte, de reproductions en miniature de celle-ci. En été, les sujets à maturité émettent des inflorescences qui, chez la Joubarbe-toile-d'araignée, atteignent de 5 à 15 cm et portent des fleurs rouges. Après la floraison, les rosettes principales meurent en général, mais les petites continuent à se développer et forment une colonie.

S. arachnoideum (la Jourbarbe-toile-d'araignée) a des rosettes ayant parfois moins de 2,5 cm de diamètre et dont les feuilles sont reliées entre elles par de grands poils soyeux blancs, semblables à des fils de toile d'araignée ; les feuilles extérieures sont souvent brun rouge.

S. grandiflorum a des feuilles velues et visqueuses, à l'odeur âcre, formant des rosettes de 5 à 10 cm de diamètre. Les inflorescences atteignent une hauteur qui varie de 15 à 30 cm, et portent de grosses grappes de fleurs jaunes dont le centre est rouge violacé.

S. kosaninii a des rosettes de 5 à 8 cm de diamètre de feuilles glandulaires et velues, de couleur vert foncé ; elles sont gluantes à

ORPIN
Sedum weinbergii

REINE-DE-LA-NUIT
Selenicereus grandiflorus

l'envers et rouges à l'extrémité. Les fleurs, de trois teintes différentes, vert, rouge et blanc, apparaissent en grappes sur les inflorescences de 15 à 20 cm de haut.

S. montanum (la Joubarbe des montagnes) finit par former un large tapis composé de petites rosettes poilues de 2 à 4 cm seulement de diamètre. Les inflorescences, hautes de 10 cm, sont formées de fleurs violettes en forme d'étoile.

S. soboliferum a des rosettes vert vif de 2 à 3 cm de diamètre, parfois teintées de rouge. Les fleurs jaune verdâtre, étroites, forment des inflorescences de 20 cm de haut. La plante produit, au sommet de ses rosettes, à maturité, de nombreux petits rejets globuleux qui finissent par se détacher et s'enraciner dans le sol pour former à leur tour de nouvelles plantes. Ils permettent une multiplication facile de la plante mère.

S. tectorum (la Joubarbe des toits), autrefois cultivée en Europe orientale sur les toits de chaume — d'où son nom —, a des rosettes de 7 à 10 cm de diamètre à l'extrémité soyeuse. Les inflorescences, atteignant jusqu'à 45 cm de haut, portent des fleurs rouge violacé.

Toutes les joubarbes décrites ici peuvent être cultivées dans les jardins de rocaille, les fissures des murs, en bordures de massifs de fleurs ou sur les rebords de fenêtres ensoleillés.

CULTURE. A l'intérieur, les joubarbes prospèrent avec quatre heures au moins d'ensoleillement ou de douze à seize heures de forte lumière artificielle par jour. La Joubarbe-toile-d'araignée a besoin d'une température de 4 à 7 °C la nuit et de 13 à 16 °C le jour pendant l'hiver ; et de 16 à 18 °C la nuit et de 16 à 22 °C le jour, en été. Pour les autres joubarbes, la température idéale en hiver se situe entre 10 et 13 °C la nuit et entre 16 et 22 °C le jour ; en été, elle doit être maintenue entre 21 et 24 °C la nuit et à 27° environ pendant la journée.

Du printemps à l'automne, laissez le sol devenir sec au toucher entre les arrosages abondants ; en hiver, donnez aux plantes juste assez d'eau pour les empêcher de se flétrir. Ne fertilisez pas pendant un an après la mise en pot ; épandez une cuillerée à café de poudre d'os autour du pied des spécimens établis, ou encore mettez-leur un engrais pour plantes d'appartement dilué à 50 p. 100. Rempotez au début du printemps dans un mélange à parts égales de compost pour plantes en pot et de sable granuleux que vous aurez enrichi, par 4,5 litres de ce mélange terreux, d'une cuillerée et demie à soupe de calcaire broyé et de la même quantité de poudre d'os.

La multiplication se fait en toute saison à partir des rejets. Plantez les rejets quelle que soit la saison à condition que la terre puisse être travaillée, en espaçant les plants de 15 à 20 cm. De nouveaux rejets combleront vite les intervalles. Ne fertilisez pas la terre dans laquelle vous les avez plantés.

A l'extérieur, les joubarbes sont résistantes, sauf dans les pays nordiques. Elles poussent bien en plein soleil ou sous une ombre légère, et s'accommodent de n'importe quel sol dans la mesure où il est bien drainé.

SEMPERVIRUM AUREUM. Voir *Greenovia*
SENECIO. Voir *Kleinia*

STAPELIA

S. flavirostris, appelé aussi *S. grandiflora* var. *lineata*; *S. gigantea*; *S. nobilis*; *S. variegata*. (Tous sont aussi appelés stapélies.)
Taille : jusqu'à 30 cm

Remarquables par leurs énormes fleurs, les stapélies sont de magnifiques plantes grasses qu'il vaut toutefois mieux admirer de loin pendant la floraison en raison de l'odeur désagréable qu'elles dégagent alors. Elles ont des tiges charnues, sans feuilles, en général quadrangulaires et disposées en touffes. Au printemps, elles portent de grosses fleurs en forme d'étoile, atteignant 40 cm de diamètre, et qui attirent les mouches.

S. flavirostris (ou *S. grandiflora* var. *lineata*) atteint de 10 à

20 cm de haut, et ses tiges duveteuses portent de magnifiques fleurs en forme d'étoile, de 15 à 17 cm de diamètre, rouge violacé sur fond jaunâtre finement strié et dont chaque pétale est recouvert de longs poils blancs.

Les tiges de *S. gigantea* peuvent atteindre de 25 à 30 cm de haut ; cette plante produit une énorme fleur dont le diamètre atteint de 25 à 40 cm ; elle est jaune, striée de rouge et recouverte d'un fin duvet violacé.

S. nobilis a des tiges ramifiées atteignant 20 cm de long, dont les bords sont garnis de dents minuscules. Les fleurs, de 30 cm de diamètre, sont couvertes de fins poils.

Les tiges de *S. variegata* sont d'un vert grisâtre ; elles portent des lobes proéminents en forme de dents et atteignent 15 cm de haut. Les fleurs, en forme d'astérie, de 5 à 8 cm de diamètre, ont des lobes triangulaires ridés transversalement, teintés de jaune et mouchetés de brun violacé.

CULTURE. En appartement, les stapélies prospèrent avec quatre heures au moins de lumière solaire indirecte par jour. Elles poussent également assez bien avec douze à seize heures de lumière artificielle intense.

Du printemps à l'automne, la meilleure température est de 10 à 18°C la nuit et de 18 à 29°C le jour ; en hiver, elle doit être de 7 à 10°C la nuit et inférieure à 18°C le jour. Maintenez le sol humide sans être détrempé pendant la période active de la végétation. Après la floraison, arrosez juste assez pour éviter que les plantes ne se flétrissent.

Mettez-les dans des pots contenant un mélange à parts égales de compost pour plantes en pot et de sable granuleux auquel vous ajouterez, par 4,5 litres de mélange, une cuillerée et demie à soupe de calcaire broyé et autant de poudre d'os.

Coupez les tiges tous les ans en automne ou multipliez par bouturage, étant donné que les fleurs n'apparaissent que sur les nouvelles plantes. A la floraison, sortez les stapélies à cause de leur odeur désagréable.

Multipliez à partir de graines, par bouturage ou par division des plantes.

STENOCACTUS. Voir *Echinofossulocactus*

STENOCEREUS

S. thurberi, appelé aussi *Cereus thurberi* et *Lemaireocereus thurberi*
Taille : jusqu'à 6 m de haut avec des tiges atteignant 20 cm de diamètre

Nombre de gens pensent au *Stenocereus* quand ils parlent de cactées. Cette belle et grande plante, originaire de l'Arizona et du Mexique, a des tiges allant du vert au gris qui se ramifient abondamment au niveau du sol. Chaque tige possède de douze à dix-sept côtes armées d'aiguillons brillants gris-brun ou noirs jaillissant d'aréoles garnies d'une sorte de feutre marron. Des fleurs nocturnes blanches à violacées, atteignant de 7 à 8 cm de long, s'épanouissent en mai et en juin. Des fruits rouges comestibles leur succèdent. En raison de sa taille, *S. thurberi* convient mieux à la culture en extérieur dans les régions au climat doux. Cependant la croissance des jeunes plants est très lente et on peut les conserver de nombreuses années sur une fenêtre.

CULTURE. *S. thurberi* prospère avec au moins quatre heures d'ensoleillement par jour ; il peut vivre sous une vive lumière indirecte, mais sa croissance sera plus lente. Au printemps et en été, la température idéale est de 16 à 18°C la nuit et de 24 à 29°C le jour ; en hiver, elle doit être, quand la plante est au repos, de 7 à 13°C la nuit et inférieure à 18°C le jour.

A l'intérieur, pendant la saison active de la végétation, laissez le sol devenir sec, et arrosez alors abondamment. En hiver, ne mettez que ce qu'il faut d'eau pour éviter la flétrissure. Fertilisez les spécimens établis une fois par an, au printemps, avec un engrais à haute teneur en phosphore en suivant les indications portées sur l'emballage ; ne fertilisez pas les plantes pendant un an

Stenocereus thurberi

après leur mise en pot. Quand elles sont à l'étroit, rempotez-les dans un mélange à parts égales de compost pour plantes en pot et de sable granuleux auquel vous ajouterez, par 4,5 litres de mélange, une cuillerée et demie à soupe de calcaire broyé et la même quantité de poudre d'os.

A l'extérieur, le *Stenocereus* est résistant dans les régions méditerranéennes sans gelées. Il lui faut un sol alcalin se drainant vite. En hiver, il peut supporter des gelées légères si la terre qui l'entoure ne conserve pas l'humidité. Si un sommet végétatif est abîmé par la gelée, la plante peut produire jusqu'à trois nouveaux rameaux sous la partie atteinte.

Multipliez en toute saison par les œilletons qui peuvent apparaître au pied des sujets établis.

T

TEPHROCACTUS. Voir *Opuntia*

THELOCACTUS
T. bicolor; T. nidulans
Taille : jusqu'à 20 cm

Thelocactus bicolor

Les *Thelocactus,* qui comptent au nombre des cactées les plus décoratives des déserts du Mexique et du Sud du Texas, ont des côtes cannelées formées par des protubérances d'où jaillissent des aiguillons multicolores. Ils se présentent généralement en grappes de tiges arrondies ou en forme de cône de 7 à 20 cm de haut et de 5 à 20 cm de diamètre. Sur les sujets âgés, des fleurs éclatantes, atteignant 6 cm de diamètre, s'ouvrent en été et sont suivies par des fruits écailleux.

T. bicolor forme parfois des cônes de 20 cm de haut et de 8 cm d'épaisseur. Des aiguillons rouges ou panachés jaunes et rouges garnissent les côtes de la plante ; la couleur des fleurs varie du rose au violet.

T. nidulans ne forme pas de grappes et garde la forme d'un globe solitaire aplati, de 10 cm de haut pour 20 cm de large, qui porte au sommet une couche touffue de poils laineux et de fibre formant comme un nid d'oiseau. Les jeunes plantes ont de treize à quinze aiguillons bruns sur chaque aréole, les plus vieux en portent de quatre à six. Les fleurs sont d'une couleur jaune pâle. Les deux espèces conviennent parfaitement à la culture en pot à l'intérieur.

CULTURE. Les *Thelocactus* prospèrent en appartement s'ils bénéficient de quatre heures ou plus d'ensoleillement, ou de douze à seize heures de lumière artificielle intense par jour. La température idéale est de 10 à 13 °C la nuit, de 18 à 21 °C le jour, du printemps à l'automne ; en hiver, elle est de 4 à 7 °C la nuit et inférieure à 18 °C le jour.

Laissez le sol devenir sec au toucher avant d'arroser abondamment, du printemps à l'automne ; en hiver, en revanche, arrosez très peu : mettez juste ce qu'il faut d'eau pour éviter la flétrissure de la plante.

Ne fertilisez pas les plantes pendant un an après leur mise en pot ; épandez une cuillerée de poudre d'os, une fois par an au printemps, autour du pied des spécimens établis ; ou alors mettez-leur un engrais pour plantes d'appartement dilué à 50 p. 100. Ces plantes ont une croissance lente et ne demandent à être rempotées que tous les trois, quatre ou cinq ans. Utilisez un mélange de deux tiers de compost pour plantes en pot et d'un tiers de sable granuleux, auquel vous aurez ajouté une cuillerée et demie à soupe de calcaire broyé et autant de poudre d'os par 4,5 litres de mélange.

La multiplication de *Thelocactus* se fait par bouturage.

TRICHOCEREUS
T. candicans; T. shaferi
Taille : jusqu'à 90 cm de haut

Ces cactées des montagnes d'Amérique du Sud ont, quand elles sont jeunes, des tiges vert-jaune recouvertes d'un duvet blanc ;

avec l'âge, elles deviennent vert foncé et se couvrent d'épines jaunâtres en forme d'aiguille, d'une douzaine de millimètres de long. Après leur cinquième année, les *Trichocereus* produisent des fleurs odorantes en forme de trompette qui s'ouvrent pendant les nuits d'été. On utilise souvent cette famille de cactées comme porte-greffes.

Les tiges hautes de 90 cm de *T. candicans* sont recouvertes d'épines et de poils laineux ; elles se ramifient à partir du pied et, si les spécimens âgés n'ont pas assez de place, ils peuvent former de grosses touffes. Les fleurs blanches odorantes, de quelque 25 cm de long, n'apparaissent que sur les sujets adultes.

T. shaferi dépasse rarement 50 cm de haut ; ses tiges épaisses de 7 à 12 cm portent des épines jaunes et forment des touffes. Les fleurs blanches, s'ouvrant la nuit, sont assez grandes : elles ont de 15 à 18 cm de long.

CULTURE. Toutes les espèces prospèrent à l'intérieur avec quatre heures ou plus d'ensoleillement ou de douze à seize heures de forte lumière artificielle ; ils poussent assez bien sous un éclairage indirect intense. Du printemps à l'automne, la température idéale est de 10 à 16°C la nuit et de 18 à 29°C le jour ; en hiver, maintenez-la entre 4 et 7°C la nuit et en dessous de 18°C le jour.

Du printemps à l'automne, laissez le sol devenir moyennement sec avant d'arroser abondamment ; en hiver, arrosez juste assez pour empêcher les plantes de se flétrir.

Ne les fertilisez pas durant la première année suivant leur mise en pot. Épandez une cuillerée à café de poudre d'os une fois par an, au printemps, autour du pied des sujets établis ; vous pouvez aussi utiliser un engrais pour plantes d'appartement que vous aurez dilué à 50 p. 100.

Rempotez au début du printemps, mais uniquement les plantes qui sont à l'étroit dans leur pot. Utilisez pour ces plantes un mélange à parts égales de compost pour plantes en pot et de sable granuleux auquel vous ajouterez, par 4,5 litres de mélange, une cuillerée et demie à soupe de calcaire broyé et une quantité équivalente de poudre d'os.

Multipliez *Trichocereus* à partir de graines ou par bouturage.

TRICHODIADEMA

T. densum, appelé également *Mesembryanthemum densum*
Taille : jusqu'à 5 cm de haut

Les quelque trente-six variétés de *Trichodiadema* sont souvent très différentes : certaines poussent en touffes épaisses, d'autres sont moins serrées et ressemblent aux espèces de *Drosanthemum ;* certaines encore ont des racines tubéreuses, d'autres fibreuses ou légèrement charnues. La plupart des espèces ont néanmoins une caractéristique commune qui leur permet d'être identifiées comme *Trichodiadema :* une couronne de soies ou de poils disposée à l'extrémité de chaque feuille cylindrique. Les fleurs, au pédoncule court, ressemblent à des marguerites ; elles poussent isolées et leur teinte varie du rouge au blanc.

T. densum (ou *Mesembryanthemum densum*) croît en touffes serrées qui se composent de courtes tiges dressées ; ces tiges portent quelques paires de feuilles longues de 2 cm couronnées par un haut diadème de soies blanches. Les fleurs vermillon, atteignant 5 cm de diamètre, s'ouvrent au printemps et quelquefois à nouveau à la fin de l'automne.

CULTURE. Les trichodiademas exigent un emplacement ensoleillé et bien aéré, l'idéal étant au moins six heures de lumière directe par jour en été.

Ils prospèrent dans des conteneurs peu profonds remplis de compost pour plantes en pots, additionné d'un tiers ou d'une moitié de sable granuleux.

Arrosez régulièrement, mais laissez le sol devenir presque sec entre les arrosages. En hiver, donnez juste assez d'eau pour empêcher les feuilles de se flétrir.

Aux plantes établies, mettez du fertilisant liquide toutes les trois ou quatre semaines, de la fin du printemps à l'automne.

Trichocereus shaferi

Trichodiadema densum

YUCCA FILAMENTEUX
Yucca filamentosa « Variegata »

YUCCA SUPERBE
Yucca gloriosa

Rempotez les trichodiademas de façon régulière tous les deux ou trois ans.

Multipliez par bouturage en été ou à partir de graines semées au printemps et maintenues à 18°C.

Y

YUCCA

Y. filamentosa (Yucca filamenteux) ; *Y. glauca* ; *Y. gloriosa* (Yucca superbe) ; *Y. recurvifolia*

Taille : de 75 cm à 6 m de haut ; feuilles atteignant 90 cm de long

Les yuccas sont des plantes semi-grasses des climats secs, souvent utilisées dans les jardins de cactées ou de plantes grasses. Certains sont acaules, d'autres arborescents avec des tiges ligneuses dressées et souvent ramifiées. Tous ont des rosettes de feuilles persistantes rigides, ensiformes et souvent fibreuses. Ils produisent d'énormes grappes de fleurs en forme de coupe, généralement d'un blanc crémeux et portées par de hautes hampes qui jaillissent du centre de la rosette. Ces fleurs ressemblent à du muguet géant et ont une odeur très particulière que certains trouvent désagréable.

Les yuccas ont un mode de pollinisation qui constitue une des merveilles de la nature. Dans la nature, la femelle d'un petit papillon, appelé Pronuba, récolte le pollen d'une fleur et en fait une boule ; puis elle vole vers une autre plante, dépose ses œufs à la base du pistil d'une fleur ; elle pousse ensuite sa boule de pollen contre les stigmates pour assurer la pollinisation afin que les chenilles, en sortant des œufs, trouvent des graines en formation à manger. Elles n'en consomment toutefois que quelques-unes, et les autres servent à assurer la propagation du yucca. C'est là un parfait exemple d'une association sans laquelle ni la plante ni l'insecte ne pourraient survivre.

Y. filamentosa (le Yucca filamenteux) n'a presque pas de tiges et porte de belles feuilles pendantes terminées par un aiguillon, longues de 75 cm et larges de 2 à 3 cm, avec les bords garnis de poils blancs ondulés. Les fleurs, longues de 5 cm, apparaissent pendant l'été en inflorescences de 90 cm à 1,80 m de long. Cette espèce est résistante même dans les régions connaissant de fortes gelées, et fournit d'excellents spécimens pour la décoration des jardins.

Y. glauca apparaît sous la forme de touffes presque sans tiges de feuilles grises très étroites, rigides, à l'extrémité effilée et dont les bords repliés vers l'intérieur portent quelques filaments cornés. Sur les sujets cultivés avec soin, ces feuilles peuvent atteindre jusqu'à 60 cm de long, mais elles sont en général plus courtes. Les fleurs, longues de 6 cm, sont de teinte crème nuancée de vert, et souvent marquées de brun-rouge.

Y. gloriosa (le Yucca superbe) peut dépasser 1,80 m de haut ; il prend avec l'âge la forme d'un arbuste trapu peu ramifié. Chaque rameau est couronné d'une rosette épaisse de feuilles dressées vert foncé, ensiformes et atteignant quelque 75 cm de long. A fin de l'été, de magnifiques aigrettes de grandes fleurs en forme de cloche, blanches et parfois teintées de rouge, se dressent jusqu'à 1,80 m au-dessus des feuilles.

Y. recurvifolia est assez semblable au précédent, mais ses fleurs sont souples et cintrées vers l'extérieur, et les inflorescences sont moins serrées et plus ramifiées.

CULTURE. A l'extérieur, les yuccas demandent un bon drainage et un sol léger, sablonneux et sec. Ils préfèrent un ensoleillement intense ou moyen. Incorporez, une fois par an, au sol autour du pied de la plante, une poignée de poudre d'os.

Multipliez les yuccas en toute saison à partir des œilletons qui se forment au pied des sujets établis ; ou bien, au printemps et en automne, à partir de graines ou par division des racines. Les yuccas ne sont que très rarement cultivés en tant que plantes d'appartement.

ZYGOCACTUS. Voir *Schlumbergera*

Caractéristiques de 108 cactées et plantes grasses

On trouvera ci-dessous énumérées les espèces dont les illustrations figurent au Chapitre 5.

Espèce	Moins de 30 cm	30 à 60 cm	Plus de 60 cm	Blanc-vert	Jaune-orange	Rose-rouge	Bleu-mauve	Multicolore	Hiver	Printemps	Été	Automne	Plante en pot	Jardin japonais	Suspension	Rocaille	Couvre-sol	Plante spécimen	Brillante et directe	Indirecte ou filtrée	Artificielle	7 à 13°C	10 à 16°C	16 à 21°C
ADENIUM OBESUM		•		•						•			•						•	•	•		•	
ADROMISCHUS FESTIVUS		•		•						•			•	•					•	•	•			
AEONIUM ARBOREUM var. ATROPURPUREUM		•	•			•	•			•			•	•	•	•			•	•			•	•
AEONIUM X DOMESTICUM	•		•	•						•			•	•		•			•	•			•	•
AENONIUM HAWORTHII		•	•	•						•			•	•					•	•			•	•
AGAVE AMERICANA «MARGINATA» (Agave américain panaché)		•	•	•					•				•				•	•	•	•				
AGAVE UNIVITTATA (Agave de la reine Victoria)		•	•						•				•	•			•	•	•					
ALOE HUMILIS (Aloès humble)		•		•		•		•			•		•			•	•		•					
ALOE VARIEGATA (Aloès panaché)	•			•		•		•			•		•			•			•					
APOROCACTUS FLAGELLIFORMIS (Queue-de-rat)		•		•			•		•				•		•				•	•				
ARIOCARPUS FISSURATUS	•		•		•						•	•	•						•	•				
ASTROPHYTUM ASTERIAS (Astrophytum étoilé)	•				•					•			•						•	•				
ASTROPHYTUM MYRIOSTIGMA (Bonnet d'évêque)	•				•					•			•						•	•				
BOWIEA VOLUBILIS		•	•					•					•			•			•	•	•			
CARALLUMA JOANNIS	•		•							•			•	•				•		•				
CARNEGIEA GIGANTEA (Saguaro)	•	•	•							•	•		•					•		•				
CARPOBROTUS EDULIS (Figuier des Hottentots)	•			•	•	•				•			•		•		•	•		•				
CEPHALOCEREUS CHRYSACANTHUS (Barbe-de-Vieillard)	•	•	•					•			•		•					•		•				
CEREUS PERUVIANUS (Cierge du Pérou)		•	•	•				•			•		•					•		•				
CEROPEGIA WOODII (Céropégie de Wood)		•					•				•		•	•				•		•				
CHAMAECEREUS SILVESTRII (Cierge de Silvestre)	•			•	•					•			•					•		•				
CISSUS QUADRANGULARIS		•	•						•	•	•		•		•			•					•	
CLEISTOCACTUS STRAUSII (Cierge de Strauss)		•		•	•				•	•			•				•	•		•		•	•	
CONOPHYTUM MINUTUM	•			•						•	•		•	•					•					•
CONOPHYTUM SPRINGBOKENSE	•			•						•	•		•	•					•					•
CORYPHANTHA CLAVA	•			•						•			•						•					•
COTYLEDON UNDULATA (Cotyle ondulé)	•			•						•			•						•					•
CRASSULA ARBORESCENS (Crassule-en-arbre)		•	•	•		•	•				•		•						•	•				
CRASSULA PERFORATA (Crassule perforée)		•				•					•		•						•				•	
DOROTHEANTHUS BELLIDIFORMIS	•			•	•	•		•			•		•			•			•		•			
ECHEVERIA AGAVOIDES (Echevéria à port d'agave)	•		•			•	•			•	•		•	•		•	•		•	•	•		•	
ECHEVERIA X «BALLERINA»	•					•		•			•					•		•	•	•			•	
ECHINOCACTUS INGENS		•	•							•	•		•						•				•	
ECHINOCEREUS ENGELMANNII (Cierge d'Engelmann)	•				•	•				•			•						•				•	
ECHINOCEREUS PECTINATUS	•			•		•				•			•						•				•	
ECHINOFOSSULOCACTUS MULTICOSTATUS	•		•			•				•			•						•				•	
ECHINOPSIS X «HAKU JO»	•		•	•		•				•			•						•	•			•	
ECHINOPSIS LONGISPINA (Echinopsis multiple)	•		•			•				•			•						•	•			•	
EPIPHYLLUM X «PAUL DE LONGPRÉ»		•		•		•				•			•		•				•					
ESPOSTOA LANATA (Cierge laineux)		•								•			•						•	•	•			
EUPHORBIA GRANDICORNIS (Euphorbe en forme de melon)		•		•	•					•			•						•	•			•	
EUPHORBIA OBESA (Euphorbe obèse)	•									•			•						•	•			•	
FAUCARIA TIGRINA	•			•		•	•			•			•	•					•		•		•	
FENESTRARIA RHOPALOPHYLLA (Plante-à-fenêtres)	•		•					•		•			•						•		•			
FEROCACTUS ACANTHODES	•	•	•					•			•		•						•		•		•	
GASTERIA LILIPUTANA	•									•			•	•					•				•	
GREENOVIA AUREA		•		•				•			•		•						•					•

Dans le cas de plantes rampantes, les chiffres indiqués se rapportent à la longueur des tiges.

CARACTÉRISTIQUES DES CACTÉES ET PLANTES GRASSES: SUITE

	Hauteur de la plante*			Couleur de la fleur					Époque de la floraison				Usages spéciaux						Lumière			Temp. nocturne en hiver		
	Moins de 30 cm	30 à 60 cm	Plus de 60 cm	Blanc-vert	Jaune-orange	Rose-rouge	Bleu-mauve	Multicolore	Hiver	Printemps	Été	Automne	Plante en pot	Jardin japonais	Suspension	Rocaille	Couvre-sol	Plante spécimen	Brillante et directe	Indirecte ou filtrée	Artificielle	7 à 13°C	10 à 16°C	16 à 21°C
GYMNOCALYCIUM, Greffe de	●		●							●	●		●	●				●					●	
GYMNOCALYCIUM QUEHLIANUM	●									●			●	●				●	●				●	
HARRISIA MARTINII		●	●								●		●		●			●		●				
HATORIA SALICORNIOIDES	●	●			●	●		●					●		●			●		●				
HAWORTHIA LIMIFOLIA	●												●					●					●	
HUERNIA MACROCARPA	●					●		●			●		●	●				●	●	●				
KALANCHOE BEHARENSIS		●		●			●						●				●	●					●	
KALANCHOE FEDTSCHENKOI		●		●			●								●			●					●	
KLEINIA ROWLEYANUS		●	●									●			●			●	●	●				
KLEINIA STAPELIIFORMIS	●			●							●		●					●	●	●				
LAMPRANTHUS SPECTABILIS		●		●	●						●		●		●			●		●				
LAPIDARIA MARGARETAE	●			●							●	●						●		●		●		
LEUCHTENBERGIA PRINCIPIS	●			●									●					●				●	●	
LITHOPS BROMFIELDII (Plante-caillou)	●		●	●							●	●	●					●		●		●		
LITHOPS DIVERGENS (Plante-caillou)	●			●							●	●	●					●		●		●		
LITHOPS «FULVICEPS» LACTINEA (Plante-caillou)	●		●	●							●	●	●					●		●		●		
LITHOPS OLIVACEA (Plante-caillou)	●			●							●	●	●					●		●		●		
LITHOPS OPTICA «RUBRA» (Plante-caillou)	●			●							●	●	●					●		●		●		
LITHOPS SALICOLA (Plante-caillou)	●		●								●	●	●					●		●		●		
LITHOPS TURBINIFORMIS (Plante-caillou)	●			●							●	●	●					●		●		●		
LOBIVIA HERTRICHIANA	●				●					●			●	●				●	●	●				
LOPHOCEREUS SCHOTTII «MONSTROSUS»		●			●			●	●				●				●	●		●				
MAMMILLARIA HAHNIANA (Mamillaire)	●				●	●					●		●	●				●		●				
MAMMILLARIA PARKINSONII (Mamillaire)	●		●		●						●		●	●				●		●				
MAMMILLARIA PLUMOSA (Mamillaire plumeuse)	●		●					●			●		●					●		●				
MELOCACTUS MATANZANUS	●				●			●					●					●	●	●				●
MYRTILLOCACTUS GEOMETRIZANS		●	●										●				●	●				●		
NEOPORTERIA CHILENSIS	●				●	●				●	●							●		●				
NEOPORTERIA NIDUS var. SENILIS	●		●	●						●	●							●		●				
NOLINA RECURVATA (Arbre-à-pied-d'éléphant)		●	●						●	●			●			●	●	●	●	●				
NOTOCACTUS APRICUS	●			●						●	●		●					●		●				
NOTOCACTUS SCOPA	●			●						●	●		●					●		●				
OPUNTIA BIGELOWII (Raquette ou Nopal)		●	●	●						●			●			●	●			●				
OPUNTIA MICRODASYS (Raquette ou Nopal)	●	●		●						●			●			●	●			●				
OREOCEREUS CELSIANUS (Cierge de Cels)		●		●									●					●	●	●				
PACHYPHYTUM COMPACTUM	●			●						●			●	●				●		●			●	
PARODIA ERYTHRANTHA	●			●						●	●		●					●		●				
PEDILANTHUS TITHYMALOIDES		●		●														●		●			●	●
PERESKIA ACULEATA (Groseillier de la Barbade)		●	●	●	●					●	●							●					●	
PLEIOSPILOS BOLUSII	●			●						●	●	●						●		●				
PORTULACARIA AFRA «VARIEGATA» (Pourpier en arbre panaché)		●		●									●					●		●				
PSEUDOMAMMILLARIA CAMPTOTRICHA	●		●								●		●					●		●				
REBUTIA SENILIS	●			●					●	●	●	●	●					●		●				
RHIPSALIDOPSIS GAERTNERI	●			●						●			●		●			●		●				
RHIPSALIS CRIBRATA		●	●							●					●			●					●	
RHIPSALIS PARADOXA		●	●							●					●			●		●				
SANSEVIERIA TRIFASCIATA «HAHNII» (Sansevière)	●												●					●	●	●				●

Dans le cas de plantes rampantes, les chiffres indiqués se rapportent à la longueur des tiges.

	HAUTEUR DE LA PLANTE*			COULEUR DE LA FLEUR					ÉPOQUE DE LA FLORAISON				USAGES SPÉCIAUX						LUMIÈRE			TEMP. NOCTURNE EN HIVER		
	Moins de 30 cm	30 à 60 cm	Plus de 60 cm	Blanc-vert	Jaune-orange	Rose-rouge	Bleu-mauve	Multicolore	Hiver	Printemps	Été	Automne	Plante en pot	Jardin japonais	Suspension	Rocaille	Couvre-sol	Plante spécimen	Brillante et directe	Indirecte ou filtrée	Artificielle	7 à 13°C	10 à 16°C	16 à 21°C
SCHLUMBERGERA BRIDGESII	●	●			●			●		●			●		●				●	●				●
SCILLA VIOLACEA (Scille violette)	●					●				●			●						●	●			●	
SEDUM LINEARE «VARIEGATUM» (Orpin panaché)	●			●							●	●			●	●	●		●	●	●	●	●	
SEDUM RUBROTINCTUM (Orpin)	●			●							●	●	●		●	●	●		●	●	●	●	●	●
SEDUM WEINBERGII (Orpin)	●		●								●	●			●	●	●		●	●	●	●	●	●
SELENICEREUS GRANDIFLORUS (Reine-de-la-Nuit)		●	●								●							●	●	●				●
SEMPERVIVUM ARACHNOIDEUM (Joubarbe-toile-d'araignée)	●					●					●	●	●		●	●	●		●	●		●	●	
STAPELIA NOBILIS (Stapélie)	●						●			●			●						●	●				
STENOCEREUS THURBERI		●	●		●						●							●	●					
THELOCACTUS BICOLOR	●					●	●				●							●	●	●		●	●	
THRICHOCEREUS SHAFERI		●		●							●		●						●	●	●	●		
TRICHODIADEMA DENSUM	●								●			●		●				●						
YUCCA FILAMENTOSA «BRIGHT EDGE» (Yucca filamenteux)		●	●								●						●	●	●					
YUCCA GLORIOSA (Yucca superbe)		●	●	●							●						●	●	●					

Dans le cas de plantes rampantes, les chiffres indiqués se rapportent à la longueur des tiges.

Remerciements

Pour l'aide qui lui a été apportée dans la réalisation de cet ouvrage, l'équipe de rédaction remercie vivement la rédactrice Lizzie Boyd, Kingston-upon-Thames, Surrey, et Kenneth Beckett, King's Lynn, Norfolk. Ses remerciements vont également aux personnes dont les noms suivent: Dr. Jules B. Aaron, Neponsit, N.Y.; Rupert Barnaby, New York Botanical Garden, The Bronx, N.Y.; Dr. Stephen L. Bosniak, Washington, D.C.; Frank Bowman, Brooklyn Botanic Garden, Brooklyn, N.Y.; Mrs. Roger Wilson Brett, Rancho Santa Fe, Calif.; le personnel du Brooklyn Botanic Garden, Brooklyn, N.Y.; Dr. James E. Canright, Département de Botanique, Arizona State University, Tempe, Ariz.; Muriel Clarke, New York; Michael de Santis, New York; Earthworks of Park Slope, New York; Elise Felton, The Philadelphia Cactus and Succulent Society, Philadelphie, Pa.; Karl Grieshaber, spécialiste en horticulture, New York Botanical Garden, The Bronx, N.Y.; David B. Grigsby, Grigsby Cactus Gardens, Vista, Calif.; Wendy Hodgson, département de Botanique et de Microbiologie, Arizona State University, Tempe, Ariz.; Mr. Sidney Horenstein, American Museum of Natural History, New York; Wallace Jackson, Londres; Don Jones, East Creek Greenhouses, Holmdel, N.J.; Madelyn Lee, Vista, Calif.; Lornie Leete-Hodge, Devizes, Wiltshire; Nancy H. Lewis, National Agricultural Library, Beltsville, Md.; Louise Lippold, Long Island, N.Y.; Rege et Wilma Malone, Leisure City, Floride; Virginia F. Martin, président, Cactus Society of America, Arcadia, Calif.; John F. Mignone, East Meadow, N.Y.; Nabel's Nurseries Inc., White Plains, N.Y.; le personnel de la New York Horticultural Society, New York; Winona O'Connor, Londres; Helen E. Payne, Oakhill Gardens, Dallas, Oregon; J. Liddon Pennock Jr., Meadowbrook Farm Greenhouse, Meadowbrook, Pa.; Lee M. Raden, Alpinflora, Phoenixville, Penn.; Sally Reath, Devon, Pa.; Helen Roubicek, Tucson, Ariz.; Mr. et Mrs. F.A. Scherr, Floride; Dr. William Louis Stern, Division of Agricultural and Life Sciences, Université du Maryland, College Park, Md.; Jean Tennant, New York; Stephanie Thompson, Londres; Gabrielle Townsend, Londres; Fred W. von Behren, Baltimore, Md.; Linda Trinkle Wolfe, décoratrice en horticulture, New York.

Sources des illustrations

Les sources des illustrations de cet ouvrage sont indiquées ci-dessous. Les indications sont séparées de gauche à droite par des virgules, de haut en bas par des tirets. Toutes les photographies sont de Enrico Ferorelli à l'exception de: Couverture: Entheos. 4; Philip Perl; Clem Harris, avec l'autorisation de Frances Perry. 6; Erich Crichton. 9: Dessins de Kathy Rebeiz. 11 à 15: Plantes de la collection du Dr. Gerald Barad. 17, 19. Dessins de Kathy Rebeiz. 20, 21: Dessins de Susan M. Johnston. 22: Dessin de Kathy Rebeiz. 25: Plantes de la collection du Dr. Gerald Barad. 26: Entheos; plantes de la collection du Dr. Gerald Barad; 27: Entheos; plantes de la collection du Dr. Gerald Barad (2). 28: Plantes de la collection du Dr. Gerald Barad. 29: Plantes de la collection du Dr. Gerald Barad (2); Entheos. 30, 31: Plantes de la collection du Dr. Gerald Barad. 35, 36, 41: Dessins de Kathy Rereiz. 48, 49: Décoration de plantes par Linda Trinkle Wolfe. 52: Plantes de la collection du Dr. Gerald Barad. 55, 58: Dessins de Kathy Rebeiz. 60, 61: Tom Tracy. 65: Daniel Bougignaud/Top Agency. 66, 67, 68: Michael Warren. 69: Frances Perry—Harry Smith Collection; Michael Warren. 70; Harry Smith Collection. 71: Phyl Taylor—F. Taylor/NHPA; Phyl Taylor. 72: Tom Tracy. 77: Entheos. 79, 80, 81: Dessins de Kathy Rebeiz. 83: Greffes du Dr. Gerald Barad. 84, 85, 86: Greffe de Frank Bowman, dessins de Susan M. Johnston. 87: Greffe du Dr. Gerald Barad (2); dessins de Susan M. Johnston. 88, 89: Greffe du Dr. Gerald Barad. 90: Illustration de Richard Crist. 92 à 149: Illustrations par les artistes suivants, par ordre alphabétique: Richard Crist, Rosemarie Francke, Susan M. Johnston, Mary Kellner, Charlotte Knox, Gwen Leighton, Sean Milne, Trudy Nicholson, Eduardo Salgado, Ray Skibinski.

Bibliographie

Alexander, E. J., *Succulent Plants of New and Old World Deserts.* New York Botanical Garden, 1950.

Bailey, Ralph, *The Good Housekeeping Illustrated Encyclopedia of Gardening.* Hearst Magazines, 1971.

Benson, Lyman, *The Cacti of Arizona,* 3ème éd. The University of Arizona Press, 1969.

Benson, Lyman, *The Native Cacti of California.* Stanford University Press, 1969.

Britton, Nathaniel L., et Rose, J. N., *The Cactaceae: Descriptions and Illustrations of Plants of the Cactus Family.* Dover Publications, Inc., 1963.

Brooklyn Botanic Garden, *Handbook on Miniature Gardens.* BBG, 1968.

Brooklyn Botanic Garden, *Handbook on Succulent Plants.* BBG, 1963.

Castle, Lewis, *Cactaceous Plants: Their History and Culture.* The Runeskald Press, 1974.

Chidamian, Claude, *Cacti and Other Succulents.* The American Garden Guild and Doubleday & Co., Inc., 1958.

Chittenden, Fred J., Éd., *The Royal Horticultural Society Dictionary of Gardening,* 2ème éd. Clarendon Press, 1974.

Consumer Guide Editors, *Cacti and Other Succulents.* Consumer Guide, 1976.

Cutak, Ladislaus, *Cactus Guide.* D. Van Nostrand Co., Inc., 1976.

Davidson, William et Rochford, T.C., *The Complete All-Colour Guide to House Plants: Cacti and Succulents.* The Hamlyn Publishing Group, Ltd., Londres, 1976.

Everett, T. H., *New Illustrated Encyclopedia of Gardening.* Greystone Press, 1960.

Foster, H. Lincoln, *Rock Gardening.* Houghton Mifflin Co., 1968.

Glass, Charles et Foster, Robert, *Cacti and Succulents for the Amateur.* Van Nostrand Reinhold Co., 1976.

Graf, Alfred Byrd, *Exotic Plant Manual: Exotic Plants to Live With.* Roers Co., Inc., 1974.

Graf, Alfred Byrd, *Exotica: Pictorial Cyclopedia of Exotic Plants from Tropical and Near-tropic Regions.* Roehrs Co., Inc., 1973.

Herwig, Rob, et Schubert, Margot, *The Treasury of Houseplants.* Macmillan Publishing Co., 1975.

Higgins, Vera, *Cactus Growing for Beginners,* 4ème éd. International Publications Service, 1971.

Higgins, Vera, *Succulents in Cultivation.* Blanford Press, Londres, 1960.

Jacobsen, Hermann, *Lexicon of Succulent Plants.* Blanford Press, Londres, 1974.

Lamb, Edgar, *Colorful Cacti of the American Deserts.* Macmillan Publishing Co., Inc., 1974.

Lamb, Edgar et Brian M., *The Illustrated Reference on Cacti and Other Succulents.* Blanford Press, Londres, 1955.

Lamb, Edgar et Brian, *Pocket Encyclopedia of Cacti and Succulents in Color.* Macmillan Publishing Co., Inc., 1970.

Lamb, Edgar et Brian, *Popular Exotic Cacti in Color.* Macmillan Publishing Co., Inc., 1976.

Marshall, W. Taylor, et Bock, Thor Methven, *Cactaceae: With Illustrated Keys of all tribes, sub-tribes and genera.* Abbey Garden Press, 1941.

Martin, Margaret J., Chapman, P. R. et Auger, H. A., *Cacti and Their Cultivation.* Charles Scribner's Sons, 1971.

Merchants Publishing Co., *Cacti and Succulents for Modern Living.* 1976.

Mulligan, William C., *Cacti and Succulents.* Grosset & Dunlap, 1975.

Perry, Francis, *Complete Guide to Plants and Flowers.* Simon & Schuster, 1974.

Personnel du L. H. Bailey Hortorium, Cornell University, *Hortris Third: A Dictionary of Plants Cultivated in the United States and Canada.* Macmillan Publishing Co., 1976.

Rowley, Gordon, *The Illustrated Encyclopedia of Succulents.* Salamander Books Ltd., 1978.

Shewell-Cooper, W. E., et Rochford, T. C., *Cacti as House Plants.* Blandford Press, Londres, 1973.

Storms, Ed., *Growing the Mesembs.* Tarrant Printing, 1976.

Subik, Rudolf, *Decorative Cacti, A Guide to Succulent House Plants.* The Hamlyn Publishing Group, Ltd., Londres, 1971.

Sunset Editors, *Succulents and Cactus.* Lane Publishing Co., 1975.

Van Ness, Martha, *Cacti and Succulents Indoors and Outdoors.* Van Nostrand Reinhold Co., 1971.

Wyman, Donald, *Wyman's Gardening Encyclopedia.* Macmillan Publishing Co., 1971.

Zander, R., *Handwörterbuch der Pflanzennamen.* Verlag Eugen Ulmer, 1972.

Index

Les chiffres en italique renvoient à une illustration du sujet indiqué.

Composition par Photocompo Center, Bruxelles, Belgique.
Imprimé en Angleterre par Jarrold & Sons Ltd., Norwich.